Cultura

en el mundo hispanohablante

A2

en CLAVE ELE

Equipo editorial

Dirección editorial: enClave-ELE.

Edición: Brigitte Faucard y Ana Sánchez.

Autores: Amalia Balea (España), Malena Castro (Chile), Daniel Cortés (Belice, Costa Rica, El Salvador, Guatemala, Honduras, México, Nicaragua, Panamá, República Dominicana, Venezuela), Rita Hanna El-Daher (Bolivia), Marisa Filgueras (Estados Unidos, Puerto Rico), Miguel Martínez (Andorra, Ecuador, Filipinas, Guinea Ecuatorial), Virginia Martínez (Perú), Diana Myohl y Manfred Myohl (Colombia), Claudia Oxman (Argentina, Uruguay, Paraguay), Nitzia Tudela (Cuba).

Corrección: Ana Portilla.

Agradecimientos: Carito Pilar Contreras, Jaquelina Gómez, Ernesto Puertas.

Cubierta: ATyPE S.A. / Andrés Matamala.

Maquetación: ATyPE S.A. / Andrés Matamala.

Mapas: Fernando Sanmartín.

Fotografías: Shutterstock, enClave-ELE, Paula Queraltó, Nuria Coma, Oficina de Turismo de Puerto Rico en Madrid (página 136, Piragüero), Andorra Turismo (página 167, El estilo románico), Internet.

© enClave-ELE, 2011
ISBN: 978-84-96942-34-9

Depósito legal: S-1558-2011
Impreso en España por Gráficas Varona, S.A.
Printed in Spain

Índice

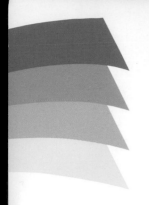

Presentación

Cultura
en el mundo hispanohablante

Es un libro dirigido a jóvenes y adultos que se encuentran en el nivel A2 y B1 de español según el *Marco común europeo de referencia para las lenguas*. Está concebido con el objetivo de presentar de un modo claro y sencillo algunas referencias sobre los distintos aspectos de la cultura de los países hispanohablantes.

Se trata de un material que combina textos e imágenes actuales sobre los diversos aspectos de la cultura y la vida cotidiana en cada uno de los países del mundo donde se habla español. También se incluyen actividades que permiten al alumno comprobar y afianzar los conocimientos adquiridos. El libro se puede usar como material de referencia para el profesor para sus cursos de lengua y cultura y como autoaprendizaje en un último plano.

El libro comienza con un mapa del mundo hispanohablante, donde se destacan los veintiún países que tienen como lengua oficial el español, y a continuación, en orden alfabético, se desarrolla la información sobre cada uno de ellos. La información de cada país se estructura en cinco secciones:

PRESENTACIÓN: se incluye una ficha informativa con los datos fácticos del país: superficie, población, capital, ciudades importantes, moneda y forma de gobierno; un mapa con las ciudades principales y países limítrofes e información general sobre la historia, la economía y la población.

DÍA A DÍA: se desarrolla información sobre la vida cotidiana, la familia, la educación, la gastronomía y las costumbres de hoy.

FIESTAS: se presentan algunas de las fiestas más características como el Carnaval, la Semana Santa, el Día Nacional, etc., y cómo se celebran; también se habla de fiestas familiares como el bautizo, la boda o el funeral.

CULTURA: se destacan los artistas más importantes de cada país del ámbito de la literatura, la arquitectura, las artes plásticas, el cine, el teatro y la música.

DE VIAJE: se proponen recorridos interesantes, ya sea por su interés histórico-cultural o por su belleza natural.

A continuación se presenta un mapamundi en el que se destacan los países donde el español no es lengua oficial pero tiene un importante peso cultural o demográfico. Después del mapa, se desarrolla la información sobre cada uno de ellos.

Para terminar, se incluye:

- Un Glosario con conceptos y palabras clave para comprender la realidad y la cultura de los países hispanohablantes. Muchas de estas palabras pertenecen al español general y otras son variantes léxicas propias de una zona, región o país.

- Una relación de Personajes importantes, donde se recoge una pequeña biografía de los personajes más destacados de cada país.

- Soluciones de las actividades.

México

Cuba

República
Dominicana

Guatemala

Honduras

Puerto Rico

El Salvador

Panamá

Venezuela

Nicaragua

Costa Rica

Colombia

Perú

Ecuador

Paraguay

Bolivia

Chile

Uruguay

Argentina

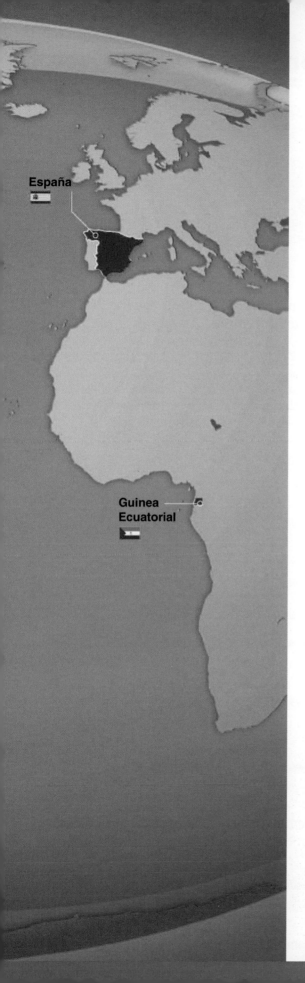

España

Guinea
Ecuatorial

I. El español en el mundo

El español o castellano es una lengua romance; esto significa que deriva del latín –lengua de la Roma antigua–.
Se forma en el reino de Castilla, al norte de la península Ibérica y a partir del siglo XV se extiende por el mundo de la mano de los conquistadores: primero por toda la península, luego por América y más tarde por África y Oceanía.

El español en números
Hoy en día el español tiene aproximadamente 400 millones de hablantes nativos, entre 60 y 100 millones de personas que lo usan como segunda lengua y unos 40 millones de estudiantes en 90 países. En número de hablantes nativos, ocupa el segundo lugar, después del chino mandarín. Si contamos a las personas que hablan español como segunda lengua, ocupa el tercer lugar, después del chino y el inglés.

Español, lengua oficial
Hay 21 países, distribuidos en tres continentes, donde el español es lengua oficial:
Argentina (América del Sur)
Bolivia (América del Sur)
Chile (América del Sur)
Colombia (América del Sur)
Costa Rica (América Central)
Cuba (Caribe)
Ecuador (América del Sur)
El Salvador (América Central)
España (Europa)
Guatemala (América Central)
Guinea Ecuatorial (África)
Honduras (América Central)
México (América del Norte)
Nicaragua (América Central)
Panamá (América Central)
Paraguay (América del Sur)
Perú (América del Sur)
Puerto Rico (Caribe)
República Dominicana (Caribe)
Uruguay (América del Sur)
Venezuela (América del Sur)
Y hay otros países y territorios donde la presencia del español es muy significativa, aunque no es lengua oficial:
Andorra (Europa), EE. UU. (América del Norte), Filipinas (Asia) y Belice (América Central).
En cada uno de estos países, el español adquiere rasgos específicos y transmite una cultura rica, diversa, profunda y expresiva. ¡Te invitamos a conocerla!

BOLIVIA
PARAGUAY
San Miguel de Tucumán
BRASIL
Córdoba
Rosario
Mendoza
URUGUAY
Buenos Aires
La Pampa
CHILE
OCÉANO PACÍFICO
OCÉANO ATLÁNTICO
Ushuaia

" El nombre de Argentina viene del latín *argentum*, que significa 'plata'. "

A comienzos del siglo XVI los primeros conquistadores creían que allí había una sierra rica en plata. También se llama **de la Plata** al río que separa Argentina de Uruguay. Los argentinos y uruguayos, habitantes de las orillas del Río de la Plata, se denominan **rioplatenses**.

Datos del país

Superficie: 3 761 274 km² (incluidas las islas del Atlántico Sur y sector antártico).

Población: 40 millones habitantes.

Capital: Buenos Aires.

Ciudades importantes: Rosario, Córdoba, Mendoza, San Miguel de Tucumán, Ushuaia.

Moneda: Peso argentino (ARS).

Forma de gobierno: República.

Un poco de historia

Argentina nace como país independiente en **1810**. Su población actual viene sobre todo de las grandes inmigraciones españolas e italianas de 1860 a 1930. Luego llegaron rusos, polacos, orientales, peruanos, paraguayos y bolivianos. La población indígena representa hoy el 0,5% del total de la población. La historia política del siglo XX ha sido muy compleja, con gobiernos democráticos y dictaduras militares. La última dictadura tuvo lugar en los años **1976-1983**.

Argentina es un país muy extenso: mide 3 800 km de norte a sur. Por ello tiene paisajes, climas y ecosistemas muy diferentes: desierto al norte (en la Puna), selva amazónica en las cataratas de Iguazú y glaciares al sur, en la región del Calafate. En el centro del país está la Pampa, tierra excelente para cultivar cereales y criar ganado.

Alimentos, energía e industria

Las principales exportaciones de Argentina son: soja (granos y aceite), automóviles, petróleo y gas, maíz, acero, carne de vaca y cobre. El turismo también es una importante fuente de ingresos.

El cruce de los Andes

La montaña más alta del continente americano es el **Aconcagua** (6 959 m), que se encuentra en la provincia de Mendoza. En 1817, el general **José de San Martín** y su ejército, ayudados de indios, cruzaron la cordillera de los Andes cerca del Aconcagua y vencieron a los españoles, primero en Chile y después en Lima, la capital del virreinato del Perú. Por esta razón, San Martín es llamado **Libertador de Argentina**, **Chile** y **Perú**.

Buenos Aires

La ciudad de Buenos Aires y su periferia (el Gran Buenos Aires) tiene más de 13 millones de habitantes (el 33% del total del país). Es una de las ciudades más pobladas del mundo.

Actividades

1. Conteste las preguntas.

a. Observe el mapa. ¿Con qué países limita Argentina? ¿En cuál de ellos no se habla español?

....

....

b. ¿Desde qué año Argentina es un país independiente?

....

....

c. ¿Cuál es el origen de la palabra *Argentina*? ¿Por qué?

....

....

d. ¿Cómo se llama el héroe nacional que comparten tres países sudamericanos?

....

....

e. ¿Qué océano bordea las costas argentinas?

....

....

f. ¿Cuántos habitantes tiene la ciudad de Buenos Aires?

....

....

g. Nombre tres productos que exporta Argentina.

....

....

2. Complete con la palabra que corresponde.

a. ....: habitante de la región del Río de la Plata.

b. ....: esta zona del centro del país es la más favorable para la agricultura y la ganadería.

c. ....: abreviatura para el peso argentino.

d. ....: montaña más alta de América.

e. ....: periferia de la capital del país.

La comida argentina

Está influenciada por la cocina criolla (mezcla de indígena y española) con platos como el asado o las empanadas, y algunos postres: el flan, el dulce de leche...; la española con los arroces y la italiana con la pasta, las pizzas y los helados.

El asado

La carne de vaca es la base de la alimentación argentina. En ocasiones especiales, se come a la parrilla (el asado); diariamente, en forma de bifes a la plancha (bife de lomo, bife de chorizo), milanesas, albóndigas, pastel de papa...

El mate

Es una tradición indígena que se conserva hoy en la ciudad y el campo. Es una especie de té de hierbas que se bebe en una calabaza con una bombilla. Se puede tomar con o sin azúcar. El mate es la bebida típica de Argentina, Uruguay y Paraguay.

Los vinos

La región de Cuyo, cerca de los Andes Centrales (Mendoza y San Juan) produce algunos vinos reconocidos en todo el mundo. El **Malbec** argentino es una cepa muy apreciada.

Los dulces

LOS ALFAJORES

Niños y mayores adoran los alfajores. Son dos galletitas rellenas con dulce de leche y cubiertas de chocolate blanco o negro. Cada provincia argentina tiene sus alfajores típicos.

EL DULCE DE LECHE

Muy típico de Argentina, se prepara con leche, azúcar y vainilla. Se come con pan o se emplea para rellenar pasteles.

¿Milanesa a la napolitana?

Los visitantes extranjeros a veces se sorprenden cuando descubren algunos platos muy comunes en Argentina con nombres que evocan otros países, como la milanesa *a la napolitana* y la suprema *a la Maryland*.

El deporte

El fútbol es la principal pasión de los argentinos. Muchos aficionados van a la cancha (estadio), o ven los partidos por televisión. Entre los futbolistas más famosos del mundo, hay que mencionar a Diego Armando **Maradona** y Lionel **Messi**.

Argentina también destaca en otros deportes:
– baloncesto, con Emanuel **Ginóbili**;
– tenis, con Juan Martín **del Potro**;
– natación, con Georgina **Bardach**.

También **Los Pumas** en rugby y **Las Leonas** en hockey tienen seguidores en todo el mundo.

Buenos Aires, despierta de día y de noche

Los habitantes de la ciudad de Buenos Aires, llamados **porteños** (de puerto), están muy orgullosos de la vida nocturna de su ciudad. Hay restaurantes y cafés abiertos hasta pasadas las tres de la mañana. Las discotecas abren después de la una de la madrugada; la fiesta termina cuando sale el sol.

1. Clasifique los siguientes platos.

Albóndiga - Empanada - Flan - Asado - Alfajor - Dulce de leche - Milanesa a la napolitana

dulce	salado
....	....
....	....
....	....
....	....

2. Elija la opción correcta.

a. ¿Qué es el Malbec?

☐ Un dulce.

☐ Un vino.

☐ Un plato italiano.

b. El mate es la bebida típica de...

☐ Argentina, Brasil y Chile.

☐ Uruguay, Paraguay y Chile.

☐ Uruguay, Paraguay y Argentina.

c. ¿Cuál es el deporte más popular en Argentina?

☐ El rugby.

☐ El tenis.

☐ El fútbol.

d. En la ciudad de Buenos Aires, las discotecas cierran...

☐ de madrugada.

☐ al mediodía.

☐ por la mañana.

3. Complete el texto con las palabras:

CANCHA - RESTAURANTE - DISCOTECA - PARTIDO

Esta tarde vamos a la _____ del Boca.
El _____ termina a las ocho, entonces podemos ir a cenar a un buen _____. Luego quiero darme una ducha en casa, y cerca de las dos de la madrugada podemos ir a una _____.

Carnaval en los Andes

Se celebra en febrero y comienza con el desentierro de un muñeco que simboliza al diablo. A partir de ese momento, todo está permitido: la gente baila, come mucho y bebe chicha (aguardiente de maíz) y vino. Cuando termina el Carnaval, se quema al diablo y la vida vuelve a la normalidad.

Cultura andina

La región del Noroeste argentino comparte tradiciones con Bolivia, Perú y el norte de Chile. Dos de las fiestas más importantes son el **Carnaval** y la **Fiesta de la Pachamama**.

Folclore y rock en un mismo lugar

En enero, en la provincia de Córdoba, se celebra el festival de **Cosquín Rock**, donde se descubren nuevos talentos del folclore. La fiesta se inicia con un grito: *¡Aquíii Cosquíiin!*

Terminada la fiesta del folclore comienza la del *rock*. Durante tres días a principios de febrero, miles de personas van a escuchar a las bandas nacionales más famosas.

Madre Tierra

En agosto se celebra la fiesta en honor a la divinidad llamada **Pachamama** (*Madre Tierra* en quichua, lengua indígena). La gente le da las gracias por las cosechas y el ganado y le pide protección para viajar por los caminos de montaña. También se "alimenta" a la Pachamama con hojas de coca, bebidas y cigarrillos.

El campo en la ciudad

Desde 1886, la **Exposición Rural** muestra la actividad del campo a los habitantes de Buenos Aires. Durante dos semanas de julio compiten los mejores ejemplares de vacas, caballos, cerdos y ovejas de distintas razas. Para muchos niños de la ciudad es la oportunidad de descubrir de dónde provienen las cosas que comen diariamente. También es la ocasión para probar platos típicos de las diferentes regiones argentinas.

La fiesta urbana

Los festivales de Buenos Aires atraen gran cantidad de público durante todo el año. En abril, el **BACIFI** (Festival de Cine independiente). En mayo, **ARTEBA**, que reúne artistas plásticos conocidos y debutantes. En agosto tiene lugar el **Campeonato Mundial de Baile de Tango**. Y en septiembre, el **Festival Internacional de Teatro**.

Un brindis por el buen vino

A principios de marzo, los habitantes de Mendoza celebran la recogida de la uva. Es el fin del verano; la fruta ya está madura y lista para convertirse en vino blanco, tinto o champán. La fiesta, que dura una semana, comienza con la Bendición de los Frutos. Luego sigue la Vía Blanca de las Reinas, donde las chicas más bellas de las distintas regiones de la provincia pasean en carroza. La fiesta termina en el anfiteatro Romero-Day, con la elección de la Reina de la Vendimia y con un espectáculo de luz y sonido.

Actividades

1. ¿En qué meses tienen lugar las fiestas y los festivales siguientes?

a. BACIFI:

....

b. Carnaval:

....

c. Fiesta de la Pachamama:

....

d. Cosquín Rock:

....

e. Fiesta de la Vendimia:

....

f. Exposición Rural:

....

2. ¿Verdadero o falso?

	V	F
a. La Exposición Rural se llama así porque tiene lugar en el campo.	☐	☐
b. La Pachamama es una señora muy vieja que vive en el norte argentino en compañía de una serpiente y de un perro.	☐	☐
c. La fiesta de la Vendimia celebra el momento en que las uvas pueden recogerse y transformarse en vino.	☐	☐

3. Elija la opción correcta.

a. En la provincia de Córdoba, cada año hay un festival de...

☐ rap.

☐ teatro.

☐ rock.

b. Al final de la fiesta de la vendimia...

☐ se da un premio a un productor de vino.

☐ se elige a la Reina de la Vendimia.

☐ hay un gran banquete.

13

El tango

El tango nació en los barrios populares de ambos lados del Río de la Plata a mediados del siglo XIX. Es una mezcla del candombe africano, el pasodoble y la zarzuela española y otros ritmos de los inmigrantes. Junto con el tango aparece el *lunfardo*, un lenguaje popular con palabras especiales. El tango es una música, un baile y toda una cultura en sí. Las letras del tango son románticas y muy melancólicas.

El tango, una música que evoluciona

La figura más representiva de la evolución del tango es Astor Piazzola. Actualmente, hay grupos musicales que crean nuevos estilos, como el tango-jazz, el tango-rock...

¿Quiere hablar lunfardo?

Si habla de dinero, dirá *guita*; de trabajo, *laburo;* y si quiere comer, usará la palabra *morfar*.

Cine

Son muchísimos los directores de cine argentinos importantes: Leonardo Favio, Lucrecia Martel, Carlos Sorín, director de la película *Bombón el perro* (2004) o Fabián Bielinsky, que dirigió *Nueve Reinas*, película de éxito internacional. La película *La historia oficial*, dirigida por Luis Puenzo, ganó el Óscar de la Academia de Hollywood a la mejor película extranjera en 1984.

Evita

Eva Perón, famoso personaje político en Argentina, inspiró el musical *Evita* y la película que lleva el mismo nombre, en la que Madonna tiene el papel principal.

Jorge Luis Borges (1899-1986)

Es uno de los escritores más importantes en lengua española. A los once años de edad tradujo del inglés para un periódico *El Príncipe Feliz*, de Oscar Wilde. Borges escribió poemas, cuentos y ensayos. *Fervor de Buenos Aires, El Aleph, Ficciones* e *Historia universal de la infamia* son algunos de sus libros más conocidos.
Su obra ha sido traducida a más de 25 idiomas.

CARLOS GARDEL

No se sabe si nació en Francia en 1890 o en Uruguay en 1877. Es el cantante de tangos más importante del siglo XX y una de las figuras más destacadas de la cultura argentina. Vivió desde pequeño en Buenos Aires, en el barrio del Abasto. Vendió cientos de miles de discos y rodó once películas en Estados Unidos. Murió en un accidente de avión en Colombia, en 1933, hecho que causó numerosos suicidios entre sus admiradoras. Algunos de los tangos más bellos que interpretó son: *Mi Buenos Aires querido, Volver, El día que me quieras* y *Yira, yira*.

Antonio Berni

Este artista plástico hacía *collage*, usando materiales reciclados: latas, cartones, trozos de madera...
Berni siempre se preocupó por pintar el sufrimiento y la lucha de los que tienen menos.
Juanito Laguna, un chico de la calle, y *Ramona* la prostituta son personajes fundamentales de su obra.

MAFALDA: un personaje entrañable

Todos conocemos a Mafalda, una niña simpática y muy madura. Este personaje de cómic fue creado por el argentino Salvador Lavado, conocido en el mundo entero como QUINO.

Julio Cortázar

Nació en Bruselas en 1914. Vivió en Argentina, pero volvió a Europa, donde permaneció hasta su muerte.
Una de sus obras más conocida es *Rayuela*.

Actividades

1. Conteste las preguntas.

a. ¿Cuáles son los ritmos que se fusionan en el tango? ¿Por qué se dio esta combinación de ritmos?
....
....

b. ¿De qué nacionalidad era Carlos Gardel?
....
....

c. ¿Qué película argentina ganó el premio de la Academia de Hollywood?
....
....

d. ¿Qué materiales usaba Antonio Berni en sus obras?
....
....

2. Los fragmentos siguientes pertenecen a dos tangos diferentes, mencionados en estas páginas. Escriba sus títulos.

a . ....

Mi Buenos Aires querido,
cuando yo te vuelva a ver
no habrá más pena ni olvido.

b. ....

Verás que todo es mentira,
verás que nada es amor,
que al mundo nada le importa.
Yira, yira.

3. Elija la opción correcta.

a. Mafalda es...
☐ una cantante argentina.
☐ un personaje de cómic.

b. ¿Quién interpreta el personaje de Eva Perón en la película *Evita*?
☐ Madonna.
☐ Shakira.

c. Julio Cortázar era...
☐ un pintor.
☐ un escritor.

d. En lunfardo, *laburo* significa...
☐ dinero.
☐ trabajo.

Desde un punto de vista turístico, Argentina es un país que ofrece varias rutas interesantes. Aquí presentamos tres recorridos para conocer más esta bonita tierra.

Recorrido 1

Partimos desde el lugar de la selva amazónica que es el Parque Nacional Iguazú y visitamos las cataratas. Seguimos por los caminos de tierra roja para visitar las **Misiones Jesuíticas**.

Siguiendo por el litoral, visitamos el Palmar de Colón y los Esteros del Iberá, y hacemos una parada en la gran **metrópolis** de Buenos Aires antes de tomar el avión para Puerto Madryn. No queremos perdernos el espectáculo de las ballenas en la península Valdés.

La Ruta 40

Es la carretera más larga y espectacular de Argentina y cruza el país a lo largo de 5 000 km, siguiendo la cordillera de los Andes, desde Cabo Vírgenes (Santa Cruz) hasta La Quiaca (Jujuy). Sube hasta casi 5 000 m de altura, atraviesa 236 puentes, cruza 18 ríos y lleva a 20 reservas y parques nacionales.

Las cataratas de Iguazú

Declaradas Patrimonio Mundial Natural de la Humanidad, estas impresionantes cataratas tienen unos 70 m de altura y, en época de lluvias, pueden medir hasta cuatro metros de ancho

Buenos Aires

Se dice de Buenos Aires que es "El París de Sudamérica". Es una de las ciudades más grandes de Latinoamérica. Allí se encuentra la impresionante **Avenida 9 de Julio**, que mide 140 m de ancho. También se recomienda pasear por sus barrios más bonitos, como el de **San Telmo**, donde se pueden admirar sus casas coloniales.

Las Misiones Jesuíticas

En Argentina, cuatro son declaradas Patrimonio Mundial de la Humanidad por la Unesco. Entre ellas, hay que destacar San Ignacio Miní, fundada en 1610 y la mejor conservada.

Con su plaza central, su iglesia, la casa de los Padres, sus viviendas y su cementerio, es un perfecto testimonio de cómo eran las misiones en aquella época.

Recorrido 2

Este viaje comienza en el Noroeste. Primero nos dirigimos a San Salvador de Jujuy para admirar los magníficos paisajes de esta zona, como el Pucará de Tilcara. Luego bajamos a Salta "la linda" para pasear por sus calles coloniales. Seguimos hacia el sur para admirar las impresionantes formaciones rocosas de Talampaya y el Valle de la Luna. En Mendoza, aprovechamos los ríos de montaña para hacer *rafting*, y seguimos al sur para encontrarnos con los bosques de Bariloche. Terminamos nuestro recorrido en los Glaciares donde, si hace buen tiempo, podemos hacer una caminata entre las nieves del glaciar Perito Moreno.

Recorrido 3

También vale la pena quedarse unos días en la Pampa para conocer la vida de los gauchos.
El gaucho capturaba y domaba los caballos y cuidaba del ganado. Se pueden ver concursos de doma, que siempre es una buena ocasión para comer un asado, bailar y cantar.

Actividades

1. Elija un recorrido y justifique la elección.

....
....
....
....
....
....

2. Señale la opción correcta.

a. Las Misiones Jesuíticas son...

☐ del siglo XIX.

☐ de la época de la colonización.

b. La Avenida 9 de Julio se encuentra en...

☐ Mendoza.

☐ Buenos Aires.

c. En los ríos de montaña de Mendoza, se puede practicar...

☐ rafting.

☐ vela.

d. El gaucho...

☐ se ocupaba del ganado.

☐ trabajaba en los campos de maíz.

3. En esta sopa de letras, busque seis nombres de ciudades y lugares turísticos de Argentina.

B	A	R	I	L	O	C	H	E	T	P
U	Z	X	V	E	R	F	G	G	G	U
E	A	R	H	J	I	O	P	Ñ	L	E
N	T	A	L	A	M	P	A	Y	A	R
O	A	P	R	E	F	D	F	C	X	T
S	Y	J	Ñ	L	J	A	A	Z	G	O
A	T	H	O	P	Ñ	K	J	H	H	M
I	T	Z	I	M	E	N	D	O	Z	A
R	G	X	I	F	D	Q	W	S	S	D
E	V	C	U	G	A	G	E	D	D	R
S	N	B	J	H	A	N	M	G	F	Y
I	G	U	A	Z	U	A	R	C	A	N

El 17% del territorio nacional boliviano es área protegida. Los Parques Nacionales Madidi y Amboró cuentan con los mayores registros de aves (1 100 especies) y anfibios del planeta.

El nombre de Bolivia viene del libertador latinoamericano Simón Bolívar.

Etnias

En Bolivia conviven 32 etnias agrupadas en tres grandes categorías: **los pueblos andinos** (quechua y aimara), en el altiplano y en los valles del país; los **pueblos del Chaco,** en la región cálida al noreste de la Cordillera Real y las regiones del sureste boliviano, y los de la **Amazonía** (afrobolivianos descendientes de esclavos africanos), que residen en la región de las Yungas.

Datos del país

Superficie: 1 098 581 km²

Población: 9 775 246 habitantes.

Capital: Sucre (capital constitucional) y La Paz (capital administrativa).

Ciudades importantes: Santa Cruz de la Sierra, Chuquisaca, Cochabamba, Oruro, Potosí, Tarija.

Moneda: Bolivianos (BOB).

Forma de gobierno: República.

Un país con dos capitales

La Paz es la ciudad más importante del país, es la capital administrativa y la más alta del mundo (3 600 m). **Sucre,** antigua capital de Bolivia hasta 1889, conserva el poder judicial.

La República de Bolivia está situada en el corazón de Suramérica. Los idiomas oficiales son el español, el quechua y el aimara. Además, se hablan otras 33 lenguas en el país. Los gobiernos departamentales deben usar al menos dos idiomas: el español y uno de los otros, ya que el 62% de la población boliviana es indígena.

Poca gente sabe que...

La civilización **tiwanaku** (2000 a.C.) es más antigua que la **inca** y es una de las culturas **precolombinas** más importantes de América. La región donde nació la civilización **tiwanaku** está a 53 km de La Paz.

Potosí

Es la capital del departamento de Potosí. Fue declarada Patrimonio Cultural de la Humanidad por la UNESCO porque se conserva intacta hasta el presente. Es una ciudad minera, gran productora de plata. En el siglo XVI, la expresión "¡Vale un Potosí!" estaba muy de moda porque la Villa Imperial de Potosí era muy importante por los metales preciosos que producía.

El Che

La historia de Ernesto "Che" Guevara en Bolivia está marcada por la tragedia. En el pequeño pueblo boliviano de **La Higuera,** es ejecutado este famoso revolucionario, que sigue teniendo seguidores por el mundo entero.

Actividades

1. Elija la opción correcta.

a. Bolivia tiene…

☐ más de seis millones de habitantes.

☐ menos de doce millones de habitantes.

☐ casi diez millones de habitantes.

b. Bolivia se caracteriza particularmente por…

☐ el número de aves y anfibios.

☐ el número de Parques Nacionales.

☐ la variedad geográfica.

c. Se denominan "pueblos andinos" a los pueblos…

☐ quechua y aimara.

☐ afrobolivianos.

☐ chaqueños.

2. ¿Verdadero o Falso?

	V	F
a. Che Guevara nació en Bolivia.	☐	☐
b. Los incas son la civilización más antigua de Bolivia.	☐	☐
c. Potosí es una ciudad rica en oro.	☐	☐
d. Los idiomas oficiales de Bolivia son el español, el quechua y el aimara.	☐	☐

3. Conteste las preguntas.

a. ¿Con qué países tiene frontera Bolivia?

....

....

b. ¿Cuál es el origen del nombre de Bolivia?

....

....

c. ¿Por qué Potosí era una ciudad importante en el siglo XVI?

....

....

d. ¿Dónde viven los pueblos del Chaco?

....

....

e. ¿Dónde está la región donde nació la civilización Tiwanaku?

....

....

De compras

Se puede comprar de todo (comida, ropa, zapatos, cosas para la casa…) en los mercados. En Bolivia, los mercados suelen ser muy coloridos y ruidosos, ¡llenos de vida!

Moverse en las ciudades bolivianas

Además de los vehículos propios y de los taxis, lo más común en Bolivia son los **colectivos** o **micros,** un medio de transporte algo incómodo, que transportan alrededor de 30 personas sentadas o de pie.

Los **trufis** son un tipo de taxi con ruta definida y se identifican con banderolas de colores.

La ciudad de Tarija, en el oriente boliviano, es muy conocida por sus particulares moto-taxis.

Las papas

La papa (patata) tiene su origen en el altiplano andino. En las montañas la gente cultiva papas de varios colores (rojas, azules...) y sabores. Bolivia cuenta con 1 400 variedades de papas.

El chuño

Es una papa deshidratada muy utilizada en la cocina boliviana.

Su deshidratación es una técnica con más de 3 000 años de antigüedad: se congelan las papas en una superficie plana durante tres noches, luego se exponen al sol y se comprimen para eliminar el agua y quitar la cáscara. Finalmente, se secan al sol durante 45 días.

Las salteñitas de media mañana

Sobre las diez de la mañana, mucha gente va a comer la salteñita: una empanada de origen argentino, rellena de carne con verduras.

La chicha

Es una bebida alcohólica de maíz, muy popular en Bolivia.

La mujer andina boliviana (o *cholita*)

La mujer boliviana en general no tiene los mismos derechos que los hombres. Poco a poco va accediendo a las universidades y ocupando puestos importantes en la sociedad.

La mujer andina de origen indígena, conocida como cholita, suele llevar una ropa muy particular: pollera (falda) y sombrero hongo (si va inclinado a la derecha o a la izquierda indica si es soltera o casada). Esta vestimenta viene de la época colonial y forma parte de las raíces culturales de Bolivia.

La totora

Es una planta milenaria que crece en el lago Titicaca. Puede medir hasta 3 metros de alto y tiene muchos usos: la raíz y los brotes se utilizan como alimento, las flores como medicina natural y la fibra como materia prima para fabricar objetos de artesanía, muebles, barcos para navegar en el lago, casas flotantes...

Tradición revalorizada

Diseñadores de moda famosos, como Martín Churba (Argentina), la firma Christian Dior (Francia) o Daisy Wende (Bolivia) se han inspirado en la vestimenta tradicional andina, en sus texturas y colores, para elaborar algunos de sus modernos diseños.

Actividades

1. Elija la opción correcta.

a. La pollera es…
☐ una falda típica.
☐ un sombrero típico.
☐ una cholita.

b. El trufi es…
☐ un tipo de mercado.
☐ una comida.
☐ un medio de transporte.

c. El chuño es…
☐ un pastel.
☐ un tipo de patata.
☐ una empanada.

d. La chicha es…
☐ un sombrero.
☐ una bebida.
☐ una fruta.

2. Complete las frases con la palabra adecuada.

a. Los transportes públicos tipo autobuses se llaman
_____ o _____.

b. La vestimenta tradicional de las cholitas viene de la época _____.

c. La empanada de carne con verduras se llama _____ en Bolivia.

d. Para deshidratar las papas o patatas se utiliza una técnica que tiene _____ siglos.

3. ¿Verdadero o falso?   V   F

a. Las salteñitas llevan chuño como
ingrediente principal.   ☐   ☐

b. La totora es una variedad de patata.   ☐   ☐

c. Con su sombrero, la mujer andina indica
si es soltera o casada.   ☐   ☐

d. La mujer boliviana tiene los mismos
derechos que los hombres.   ☐   ☐

e. La ropa tradicional andina ha inspirado
a algunos diseñadores.   ☐   ☐

El Carnaval de Oruro

Es una fiesta religiosa y cultural con más de 2 000 años de antigüedad. En 2001 fue declarada por la UNESCO **Obra Maestra del Patrimonio Oral e Intangible de la Humanidad**.

En este carnaval, el baile más importante es la diablada. Representa a diablos bailando delante de la Virgen.

El martes es el día de carnaval más importante en los Andes bolivianos, pues está dedicado a rendir honores a la Pachamama, la principal divinidad de los pueblos andinos. El momento más importante del ritual llega cuando se tira un poco de alcohol, vino o cerveza al suelo: eso representa un brindis con la Pachamama, una manera de dar las gracias por los favores recibidos.

La danza, siempre presente

En casi todas las fiestas se baila mucho. Cada baile representa una historia que se cuenta por medio de la danza. Para los bolivianos, es un orgullo formar parte de uno de estos grupos que bailan en las diferentes celebraciones nacionales.

15 de agosto en Cochabamba

La **Fiesta de la Virgen de Urkupiña** tiene su origen en una leyenda del siglo XVIII, según la cual la Virgen María se presentó a una niña indígena y le dio una bolsa de piedras que luego se transformaron en plata.

Desde entonces, van personas que le piden favores a la Virgen y compran piedras que representan esos favores. Al año siguiente, devuelven la piedra (que representa el favor) y se llevan otra. La fiesta dura cuatro días, en los que se mezclan los más antiguos rituales andinos con la tradición católica.

Danzas Tradicionales

Los caporales

El caporal representa al mulato que vigila los trabajos en la zona de los Yungas y que tortura a los negros, indiferente al dolor que sienten.

La morenada

La morenada es un homenaje al "rey africano". Los esclavos negros llevados desde África para el cultivo de la coca y otros productos continúan reconociendo a su rey, incluso en su exilio obligado.

La Cueca

Es uno de los bailes más antiguos que sobreviven. Fue el baile preferido de las clases aristocráticas en los primeros años de la república. Los bailarines avanzan y retroceden moviendo unos pañuelos. Con una mano en la cadera y con el pañuelo en la otra, el hombre persigue a la mujer mientras esta simula indiferencia. El hombre da vueltas enteras y medias vueltas, haciendo girar su pañuelo encima de la cabeza de la mujer, o lo baja hasta sus rodillas. Cuando la bailarina se detiene, el hombre hinca las rodillas en los pies de la mujer y termina el baile.

Actividades

1. Elija la opción correcta.

a. Las piedras representan los *amores/favores* en la celebración del *carnaval de Oruro/de la Virgen de Urkupiña*.

b. El caporal *tortura/es torturado*.

c. El martes de Carnaval, en los Andes bolivianos se rinde honor a *la Virgen María/la Pachamama*.

2. En esta sopa de letras, encuentre cuatro bailes bolivianos.

A	O	F	D	F	D	F	C
C	U	E	C	A	I	F	A
F	O	I	Y	U	A	G	P
C	O	P	T	R	B	V	O
A	S	Q	Q	W	L	B	R
M	O	R	E	N	A	D	A
L	H	L	G	T	D	N	L
Ñ	N	F	A	D	A	N	D

3. Elija la opción correcta.

a. "Rendir honores" significa…

☐ estar muy cansado después de una celebración.

☐ expresar el respeto por algo o alguien a través de un ritual o ceremonia. Homenajear.

b. "Hincar la rodilla" significa…

☐ caminar sobre las rodillas.

☐ forma de bailar levantando las rodillas. alternativamente.

☐ poner una rodilla en el suelo.

4. Complete las siguientes frases con las palabras:

PACHAMAMA - ESCLAVOS - TRADICIÓN - BAILARINES

a. En muchas celebraciones bolivianas, la _____ prehispánica se mezcla con la católica.

b. Los pueblos andinos respetan y rinden honores a la _____, una divinidad femenina.

c. Los _____ africanos han trabajado en el cultivo de la coca.

d. Los _____ sienten orgullo de participar en una fiesta.

La Puerta del Sol

La cultura **tiahuanacota** (al borde del lago Titicaca) tiene magníficas esculturas de animales y personas que representan sus creencias y costumbres. **La Puerta del Sol,** por ejemplo, es una monumental escultura de piedra –de 3 m de alto y 2,8 m de ancho–, decorada con bellos relieves.

Literatura de las de antes…

Los **wawakis** son poemas para cortejar a las mujeres. Los **arawicus** y los **takiyis,** poesías sentimentales que expresan dolor, amor, pena, perdón y otros estados de ánimo. La particularidad de estos estilos literarios es que solo se mantienen por tradición oral entre los indígenas. Pero, por suerte, hasta la actualidad no han desaparecido…

Samaipata

Las ruinas de **Samaipata,** cerca de Santa Cruz de la Sierra, se atribuyen a las etnias preincaicas que provenían del altiplano; son impresionantes figuras hechas en la roca de las montañas. De la época colonial se conservan esculturas muy bonitas en las fachadas de las casas o en las iglesias, particularmente, en la ciudad de Potosí.

Escultura de hoy

La escultura del siglo XX y contemporánea boliviana está muy bien representada por **Marina Núñez del Prado**, que ha expuesto sus obras por todo el mundo y ha ganado premios internacionales. Entre sus obras más famosas están: *Espíritu de las nubes, Madre y niño, Mineros* o colecciones como *Voces de Ultramar* o *Mujeres al Viento*.

Las Misiones de Chiquitos

Estas misiones jesuíticas son de fines del siglo XVII. Sus templos son verdaderas joyas arquitectónicas tan bien conservadas que continúan utilizándose. Estas misiones han sido declaradas Patrimonio Cultural de la Humanidad por la UNESCO. Aquí se celebran numerosos festivales de música. Uno de los más famosos es el **Festival Internacional de Música Barroca y Renacentista Americana**.

Teatro

El teatro comenzó a tener importancia a partir de mediados del siglo XX.

En 1989, en la ciudad de El Alto, se formó el grupo teatral **Trono** para dar a los jóvenes una alternativa al abandono escolar, a la drogadicción, a la delincuencia y a la prostitución. El resultado: muy bueno. Cien mil niños han descubierto su vocación teatral. Actualmente, el proyecto tiene apoyo internacional.

Tierra de música

Los instrumentos de música tradicionales son muy variados. La música ha acompañado siempre las fiestas religiosas de los pueblos andinos.

Las **quenas** son sencillas flautas de caña que se tocan soplando por un orificio en un extremo.

Las **zampoñas** o **sikus** son más complejas y se tocan soplando a través de los extremos abiertos de cañas unidas por orden de tamaño. No emiten sonidos simultáneos; solo un sonido a la vez.

Actividades

1. Elija la opción correcta.

a. ¿Qué monumento es Patrimonio Cultural de la Humanidad?

☐ La Puerta del Sol.

☐ Las ruinas de Samaipata.

☐ Las Misiones de Chiquitos.

b. Marina Núñez del Prado es…

☐ una escultora.

☐ una pintora.

☐ una cineasta.

2. Mencione tres géneros literarios indígenas. ¿Por qué pueden desaparecer?

....

....

....

....

3. Relacione.

a. Trono   **1.** poesía

b. Quena   **2.** escultura

c. La Puerta del Sol   **3.** grupo teatral

d. Takiyis   **4.** instrumento

4 . Conteste las preguntas.

a. ¿Cuál es el objetivo del grupo teatral Trono?

....

....

b. ¿En qué lugar de Bolivia se celebra un importante festival de música?

....

....

c. ¿Dónde se desarrolló la cultura tiahuanacota?

....

....

5. Encuentre las palabras correctas.

a. ....: instrumentos de música tradicional.

b. ....: poesía sentimental indígena.

PARA LOS AMANTES DEL TURISMO TRADICIONAL...

El lago Titicaca

La palabra *Titicaca* está formada por la palabra *titi*, que en aimara representa un animal mítico, y por la palabra *caca*, que en quechua significa *roca*, *tierra*. El nombre de este lago tiene algo mágico, como el lugar donde está. Es el lago navegable más alto del mundo (está a 3 808 m sobre el nivel del mar). Se encuentra entre Bolivia y Perú. En él están los secretos de la fundación de la civilización incaica. Se puede ir en todas las épocas del año.

Una vez allí, se puede visitar **Cobacabana** (donde está la Virgen morena milagrosa), **la Isla del Sol, la Isla de la Luna** y **Sampaya**.

El Salar de Uyuni

Llamado la *Alaska de Bolivia,* se encuentra en una región semidesértica situada al suroeste del país.

El color de sus desiertos, sus tierras volcánicas y sus fabulosas lagunas son únicos. Las lagunas tienen la característica de cambiar de color según la hora del día. Además, en esas lagunas hay géiseres y pozos volcánicos en activo. Una de las islas, **La isla Lomo de Pescado,** es una hermosa isla de cactus y coral, en la que existen restos de antiguas civilizaciones.

PARA QUIENES PREFIEREN EL TURISMO CULTURAL...

Ruta arqueológica de Samaipata

Se inicia en Santa Cruz de la Sierra, y después de recorrer 120 km se llega al Fuerte de Samaipata. Es un monumento arqueológico muy importante de la época precolombina. Está a 1 949 m sobre el nivel del mar, en una montaña; en ella, antiguas culturas esculpieron figuras variadas.

Las más importantes son las zoomorfas (serpientes y pumas), así como los conductos y depósitos de agua. Es un lugar extraordinario y misterioso. Sus orígenes y significado se siguen estudiando.

PARA LOS AVENTUREROS...

Escalada del Illimani

Este volcán apagado está a 72 km de La Paz, al oeste de Bolivia. Tiene cinco picos principales: los más importantes son el pico Sur (6 462 m), el pico Central (6 287 m) y el pico Laika Khollu (6 159 m).
La primera subida al Illimani la realizó una expedición anglo-italiana en 1898. La mejor época para subir a este volcán es de abril a octubre.

PARA LOS QUE PREFIEREN EL TURISMO VERDE...

Estación biológica

En el departamento del Beni se encuentra una región declarada Reserva de la Biosfera por la UNESCO. Allí hay varias lagunas de gran belleza y ríos en los que se puede navegar. Ahí viven numerosas comunidades indígenas, como los Chimanes, Chacobos y Baures. Algunas de ellas permiten ver sus rituales tradicionales. La laguna Normandía es uno de los lugares recomendables para visitar. El viajero puede ver animales como el caimán negro, lagartos y una gran variedad de aves acuáticas.

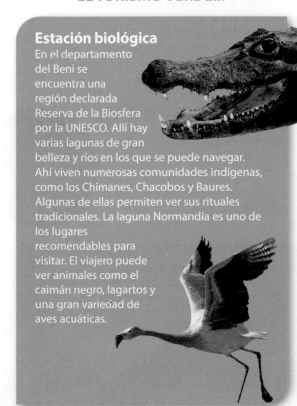

Actividades

1. Conteste las preguntas.

a. ¿Qué tipo de turismo ofrece Bolivia?

....
....
....

b. ¿Adónde le gustaría ir? ¿Por qué?

....
....
....

2. ¿Verdadero o falso?   V | F

a. Cuando una persona va al lago Titicaca debe visitar Cobacabana. ☐ ☐

b. El Illimani tiene tres picos. ☐ ☐

c. El volcán Illimani se encuentra en actividad. ☐ ☐

d. En la Laguna Normandía hay muchos cactus y corales. ☐ ☐

3. Complete las frases con las siguientes palabras:

AIMARA - OCTUBRE - CAIMÁN - COLOR - ORÍGENES - AVES

a. Todavía no se conocen muy bien los _____ de Samaipata.

b. Es mejor realizar la escalada del Illimani entre abril y _____.

c. Una cacterística muy particular de las lagunas del Salar de Uyuni es que cambian de _____.

d. El _____ negro, los lagartos y las _____ acuáticas forman parte de la fauna de la laguna Normandía.

e. La palabra "Titicaca" viene del quechua y del _____.

PERÚ

BOLIVIA

La Tirana •

San Pedro •
de Atacama

PARAGUAY

La Serena •

ARGENTINA

Viña del Mar •
Valparaíso •
Santiago ▪

OCÉANO PACÍFICO

Concepción •
Temuco •
Valdivia •

OCÉANO ATLÁNTICO

Punta Arenas •

Todos los climas

El clima cambia mucho según las regiones:
– En el **norte** está el desierto de Atacama, el desierto más árido del mundo.
– En la región **central** se dan las cuatro estaciones.
– En el **sur** están la región de los Lagos y la Patagonia, una región muy turística por su naturaleza: lagos, volcanes, bosques, glaciares y los dos parques nacionales conocidos como **Torres del Paine**. Tiene un clima frío y lluvioso.

❝ Chile es uno de los países más largos y estrechos del mundo. ❞

Datos del país

Superficie: 2 006 626 km²
Población: 16 601 707 habitantes.

Capital: Santiago.

Ciudades importantes: Valdivia, Concepción, Temuco, Valparaíso, Viña del Mar.

Idiomas: Español (oficial), mapudungun, quechua, rapa nui.

Moneda: Peso chileno (CLP).

Forma de gobierno: República.

Terremotos

Chile es el país con más terremotos del mundo. Prácticamente a diario la tierra se mueve en Chile. Pero en la mayoría de los casos, la población no lo siente.
En 1960, este país sufrió el terremoto más importante del mundo, que tuvo lugar en Valdivia y que alcanzó una intensidad de 9,5 en la Escala Richter. En 2010, otro terremoto alcanzó una magnitud de 8,8.

Los Mapuches

Esta población indígena vive en el centro y el sur de Chile. Su nombre significa *personas de la tierra*. Su idioma es el mapudungun.

El copihue

Es la flor nacional de Chile. Crece en los bosques del centro y sur del país. Es una flor de color rojo intenso y con forma de campana. Es la protagonista de varias leyendas **mapuches**.

Chile se encuentra al suroeste de América del Sur. Tiene frontera con Argentina, Bolivia y Perú. Está rodeado por el océano Pacífico y por la cordillera de los Andes. Tiene unas dimensiones muy particulares: su longitud, de norte a sur, es de más de 4 200 km, y su parte más ancha, de este a oeste, solo alcanza los 440 km.

Productos chilenos

Chile es el primer productor mundial de cobre del mundo. La mina más importante se llama **Chuquicamata**. Se encuentra en el norte. Está al aire libre y es una de las minas de cobre más grandes del mundo.

Chile es también un gran productor de vinos. Los viñedos son principalmente de cepas francesas: Cabernet Sauvignon, Syrah, Pinot, entre otros. Los vinos chilenos son muy apreciados en todo el mundo.

Un poco de historia

La conquista de Chile empieza en 1536 y finaliza en 1542, cuando Pedro de Valdivia funda Santiago, la capital actual del país.

Después de duras batallas, la independencia de España se produce en 1818; su héroe, Bernardo O'Higgins, es nombrado Director supremo del país.

El siglo XX está marcado por un trágico acontecimiento: el 11 de septiembre de 1973, el ejército de Chile, liderado por Augusto Pinochet, da un golpe de estado para derrocar al presidente Salvador Allende, que murió. Se establece entonces una larga dictadura hasta 1990, año en que la democracia vuelve al país.

Actividades

1. Conteste las preguntas.

a. Observe el mapa de Chile. ¿Cuál es el océano que baña sus costas?

....

....

b. ¿Cuál es el fenómeno natural más frecuente en Chile?

....

....

c. ¿Cómo se llama el héroe de la independencia chilena?

....

....

d. ¿En el siglo XX, quién provoca un golpe de estado e instala una larga dictadura en Chile?

....

....

2. ¿Verdadero o falso?

	V	F
a. Chile tiene frontera con Brasil.	☐	☐
b. La mina de Chuquicamata es una mina cerrada.	☐	☐
c. Se proclama la independencia de Chile en 1810.	☐	☐
d. Chile tiene el desierto más árido del mundo.	☐	☐
e. La capital de Chile se llama Valdivia.	☐	☐
f. Chile es muy montañoso.	☐	☐
g. La lengua de los mapuches se llama copihue.	☐	☐
h. En Chile hay muchos terremotos.	☐	☐
i. Chile es un gran productor de cobre.	☐	☐

3. Lea el siguiente texto de Matilde Urrutia, esposa del poeta Pablo Neruda. ¿A qué momento de la historia de Chile se refiere?

"Como todos los días, estábamos alegres… Era muy temprano. Encendimos la radio para oír las noticias. Entonces todo cambió. Había noticias alarmantes, dadas en forma desordenada. De pronto, la voz de Salvador Allende. Pablo me mira con inmensa sorpresa: estábamos oyendo su discurso de despedida…"

....

....

....

Comidas

En Chile, el desayuno no es muy fuerte: pan con café o té. Los dos tipos de pan que se consumen más son la marraqueta, que tiene mucha miga, y la hallulla, que es un pan redondo y muy compacto.

La comida más abundante es el almuerzo, que se toma entre las 13:00 y las 14:00. La merienda se llama once, y también es importante. Mucha gente que trabaja todo el día no cena, pero merienda abundantemente: pan, queso, palta (aguacate), jamón, manjar (parecido al dulce de leche argentino) con café o té.

En Chile se come principalmente arroz, patatas, carne y pollo. También se come mucho maíz, legumbres, pescados y mariscos.

Uno de los platos típicos chilenos es la empanada de carne. El pastel de choclo, a base de maíz y pollo, es muy apreciado.

Pan de Pascua y cola de Mono

En Nochebuena, se prepara una gran cena con un postre típico: el **Pan de Pascua**, que se sirve con con una bebida suave, llamada **Cola de Mono**: ponche con aguardiente, café con leche, azúcar y canela.

El día de Navidad, los niños corren a ver los regalos que el **Viejo Pascuero** (Papá Noel) les ha traído.

Cuando llueve... ¡sopaipilla!

En otoño o invierno, cuando llueve, se prepara la famosa sopaipilla. Es una mezcla de harina con **zapallo** (calabaza) y manteca de cerdo. Se fríe y se puede comer dulce o salada.

El fin de semana

Las familias chilenas se reúnen los fines de semana, para comer juntos, jugar al fútbol...
El fútbol es el deporte nacional por excelencia. Los clubes más importantes de Chile son la **Universidad Católica**, **la Universidad de Chile** y el **Colo-Colo.**

Otra afición que tienen los chilenos los fines de semana es ir a pasear por los *malls* o centros comerciales de Santiago: el **Parque Arauco** o **Alto Las Condes**, entre otros, son grandes centros comerciales, con espacios abiertos. Hay tiendas de todo tipo: ropa, supermercados, zona de restaurantes, cines, etc. El complejo de cines *Showcase* del Parque Arauco, por ejemplo, tiene 12 salas.

El Pisco Sour

El cóctel chileno por excelencia es el **Pisco Sour**, una mezcla a base de pisco (aguardiente de uva) batido con azúcar, limón y hielo picado. El origen del pisco y del Pisco Sour es todavía un tema de discusión entre chilenos y peruanos, porque en Perú también existe esta bebida, y es muy popular.

Estudiantes y uniformes

Los estudiantes llevan uniforme para ir a la escuela. Los chicos, una camisa blanca o azul claro, un pantalón gris o azul marino, y una chaqueta o jersey azul marino. Las chicas visten una camisa blanca, un vestido azul marino llamado *jumper* y unas medias azul marino que llegan por debajo de la rodilla.

Actividades

1. ¿Verdadero o falso?   V | F

a. Las sopaipillas se comen en verano.   ☐ | ☐

b. En Chile no se come mucho pescado.   ☐ | ☐

c. El Pisco Sour se hace con naranja y azúcar.   ☐ | ☐

d. En Navidad, se toma una bebida llamada Cola de Caballo.   ☐ | ☐

e. Los estudiantes chilenos no usan uniforme para ir a la escuela.   ☐ | ☐

2. Busque la palabra que corresponde a la definición.

a. ....: pan redondo y muy compacto.

b. ....: plato a base de harina, zapallo y manteca de cerdo.

c. ....: cóctel hecho con aguardiente, limón, hielo y azúcar.

d. ....: centros comerciales de Santiago.

3. Subraye las palabras que se refieren a comidas y bebidas.

PISCO - COLA DE MONO - ALTO LAS CONDES - MALLS - MARRAQUETA - JUMPER - TÉ

4. Conteste las preguntas.

a. ¿Cuál es el deporte más popular en Chile?
....
....

b. ¿Qué se puede hacer en Parque Arauco?
....
....

c. Nombre tres prendas de vestir que usan los estudiantes para ir a la escuela.
....
....

d. ¿Cómo se llama en Chile a Papá Noel?
....
....

Fiestas Patrias

El 18 de septiembre se celebra el inicio del proceso independentista con la proclamación de la Primera Junta de Gobierno en 1810. El 19 de septiembre es el Día de las Glorias del Ejército. Estas dos fechas se llaman **Fiestas Patrias**.

La celebración dura casi una semana.

Durante esas fechas se muestran con fuerza las expresiones de la cultura chilena.

Se coloca la bandera de Chile en todos los edificios públicos y en las casas.

Cueca Y Rodeo

La **cueca,** el baile nacional, es una de las principales tradiciones.

Con un pañuelo en la mano derecha, los bailarines forman figuras circulares, con vueltas enteras y medias vueltas. Actualmente se bailan también otros ritmos de moda como la cumbia o el reguetón.

En el campo, se organizan **rodeos** (doma de caballos salvajes). Los huasos, personajes típicos del campo chileno que se dedican a la agricultura y la ganadería, son los protagonistas del rodeo.

En las fondas santiaguinas...

Durante las Fiestas Patrias, se abren locales donde se sirven platos y bebidas tradicionales. Se llaman fondas. Las principales fondas del país se instalan en el Parque O'Higgins, en el centro de Santiago. Cada año, el Presidente de la República da inicio a las celebraciones en uno de estos locales. Se comen empanadas y se toma la tradicional chicha de uva, una bebida suave hecha de la fermentación de la uva. En el sur de Chile, se toma la chicha de manzana.

Festival de Viña del Mar

El Festival Internacional de la Canción de Viña del Mar es el concurso musical más importante de Hispanoamérica. Dura 6 noches y tiene lugar en febrero.

Además de cantantes chilenos, intervienen figuras internacionales, muy famosas, como Chayanne, Joan Manuel Serrat, Simply Red, Daddy Yankee, etc.

El público de Viña del Mar es muy exigente con los artistas, y su opinión es muy importante a la hora de elegir a los ganadores del concurso.

La fiesta de la Tirana

El 16 de julio se celebra en la Tirana, un pueblo del norte de Chile, una fiesta en honor a la **Virgen del Carmen.** Es el festival folclórico más importante de Chile. Durante esta fiesta se realizan diferentes tipos de bailes folclóricos, de origen prehispánico. El baile de las **diabladas** representa la lucha del bien contra el mal. Los demonios utilizan **máscaras** muy grandes que representan a dragones y serpientes.

Actividades

1. ¿Qué se conmemora el 18 de septiembre?

....

....

2. ¿Verdadero o falso?   V | F

a. El reguetón es el baile nacional chileno.   ☐ | ☐

b. Las Fiestas Patrias duran casi una semana.   ☐ | ☐

c. La chicha de uva es una bebida alcohólica
muy fuerte.   ☐ | ☐

d. La fiesta de la Tirana es el festival folclórico más
destacado de Chile.   ☐ | ☐

3. Elija la opción correcta.

a. El público de Viña del Mar es…

☐ aburrido.

☐ exigente.

☐ indiferente.

b. Los demonios de las diabladas usan…

☐ sombrero.

☐ un pañuelo en la mano derecha.

☐ máscaras de gran tamaño.

c. El Presidente inicia las Fiestas Patrias en…

☐ una fonda.

☐ el Congreso.

☐ un rodeo.

4. Complete el texto con las palabras:

HUASOS - BANDERAS - CUECA

a. Durante las Fiestas Patrias, se decoran las casas y los
lugares públicos con _____ chilenas.

b. La danza más tradicional en Chile es la _____.

c. En el campo chileno, los _____ se dedican a la
agricultura y la ganadería.

**5. ¿A qué fiesta o festival le gustaría ir en Chile?
¿Por qué?**

....

....

....

Pablo Neruda (1904-1973)

Nace en el sur de Chile con el nombre de Ricardo Eliécer Neftalí Reyes Basoalto. Es uno de los poetas más queridos, conocidos e influyentes del siglo XX. En 1924, publica su famoso *Veinte poemas de amor y una canción desesperada*. *Canto General*, publicado en México en 1950, constituye la parte central de la producción artística de Neruda. El 10 de diciembre de 1971 recibe el Premio Nobel de Literatura. Muere el 23 de septiembre de 1973, pocos días después del golpe de estado de Pinochet.

Los Tres

Este grupo de rock, formado en 1988 y compuesto por Álvaro Henríquez, Ángel Parra (nieto de la conocida cantante Violeta Parra), Roberto Lindl y Francisco Molina, es seguramente unos de los grupos de rock chileno más influyentes de la década de los 90. Una de sus canciones, *Amor violento*, es muy conocida.

La Nueva Canción Chilena

Es un movimiento musical de los años 60, caracterizado por letras de fuerte contenido social y una fusión de diferentes ritmos latinoamericanos. Sus principales representantes fueron: **Víctor Jara, Isabel Parra** (hija de Violeta Parra), el grupo **Quilapayún** y el grupo **Inti Ilimani**, entre otros. Muchos de estos grandes artistas chilenos debieron exiliarse durante la dictadura de Pinochet.

Isabel Allende

Esta famosa escritora chilena, sobrina del expresidente Salvador Allende, es una de las novelistas iberoamericanas más conocidas.

Después del golpe militar, ella y su familia se exilian en Venezuela.

La Casa de los espíritus (1982) es su primera novela. Bille August la llevó al cine, con Jeremy Irons y Meryl Streep. *De amor y de sombra* también está adaptada en una película de Betty Kaplan, con Antonio Banderas y Jennifer Connelly.

La voz de los marginados

Violeta Parra es una de las cantantes más importantes del país. *Gracias a la vida* y *Volver a los 17* son algunas de sus canciones más famosas, que muchos artistas internacionales han interpretado: **Mercedes Sosa** (Argentina), **Joan Baez** (Estados Unidos), **Joan Manuel Serrat** (España). Los problemas sociales son un tema recurrente en su obra, y por eso es conocida como "la voz de los marginados". Se suicidó en 1967.

Actividades

1. Conteste las preguntas.

a. ¿Qué novelas de Isabel Allende están adaptadas al cine?

....

....

b. ¿Qué familiar de Violeta Parra forma parte de un conocido grupo de rock?

....

....

c. Nombre tres grupos o intérpretes representativos de la Nueva Canción Chilena de los años 60.

....

....

d. ¿Qué miembro de la familia Parra forma parte de la Nueva Canción Chilena?

....

....

e. Nombre dos artistas famosos que interpretaron las canciones de Violeta Parra.

....

....

2. Elija la respuesta correcta.

a. Pablo Neruda muere…

☐ antes del golpe de estado de 1973.

☐ durante el golpe de estado de 1973.

☐ después del golpe de estado de 1973.

b. Isabel Allende es…

☐ hija de Salvador Allende.

☐ sobrina de Salvador Allende.

☐ hermana de Salvador Allende.

3. ¿Cómo interpreta este fragmento de *Gracias a la vida*? ¿Por qué la autora está agradecida?

Gracias a la vida, que me ha dado tanto,
me ha dado la risa y me ha dado el llanto,
así yo distingo dicha de quebranto,
los dos materiales que forman mi canto
y el canto de ustedes, que es el mismo canto.

....

....

....

....

De viaje por el norte: San Pedro de Atacama

San Pedro de Atacama es una comuna del norte de Chile, en la provincia de Antofagasta. Tiene unos 5 000 habitantes. Allí llegan turistas de todo el mundo, atraídos por la belleza natural de la zona. Los principales atractivos se encuentran en los alrededores del pueblo. Al sur se ubica el **Salar de Atacama**, que tiene la mayor reserva mundial de litio. Otros lugares que los turistas no se pueden perder son los **Géiseres del Tatio,** el **valle de la Luna** y las **Termas de Puritana.**

Las casas de Neruda

Existen tres "casas museos" abiertas al público, que cuentan parte de la historia del poeta, sus amores, sus amistades, su historia política.

En el Cerro Florida de Valparaíso se encuentra **La Sebastiana**; lleva este nombre en honor al arquitecto Sebastián Collado. Es una casa de cinco plantas con una vista panorámica a la bahía. Aquí, como en sus otras casas, se encuentran sus colecciones de objetos. En esta casa, Neruda solía pasar la Navidad.

En Santiago, la casa de Neruda se llama **La Chascona** (en Chile esta palabra significa *despeinada*), en honor a Matilde Urrutia, su esposa.

En la costa central, se encuentra la tercera casa del poeta, la de la **Isla Negra**, que está frente al mar y tiene forma de barco. En este lugar están enterrados Neruda y su esposa.

Los observatorios

Bajando por el desierto de Atacama, hay grandes observatorios internacionales, construidos sobre la cordillera de los Andes, aislados completamente de la luz artificial y el polvo. Tienen nombres de cerros: el observatorio del **Cerro Tololo,** el observatorio del **Cerro Mamalluca** y el observatorio de la **Silla.** Se pueden visitar y en algunos es posible mirar por el telescopio.

De viaje por Valparaíso

Valparaíso es una ciudad puerto. Su barrio antiguo es Patrimonio de la Humanidad desde 2003. Sin duda, la original arquitectura de Valparaíso es su principal atractivo: se extiende sobre 42 pequeñas montañas, de gran interés turístico, y baja hasta el mar.

Muchos lugares de los cerros son inaccesibles en autobús. Por eso, existen los famosos funiculares o ascensores de madera. Algunos son del siglo XIX: el primer ascensor se construyó en el Cerro Concepción en 1883. Hay 15 ascensores y todos son Monumentos Históricos.

Isla de Pascua

Se encuentra a más de 3 000 km del continente, en medio del océano Pacífico, y es uno de los principales destinos turísticos de Chile. Se pueden ver volcanes, lagos y playas de arena blanca. Pero el mayor atractivo de la isla son los enormes dioses de piedra o moáis, únicos vestigios de una antigua cultura que llegó desde la Polinesia alrededor del siglo III d.C. El significado de estas estatuas no ha sido totalmente resuelto.

La Isla de Pascua se llama así porque los holandeses que la descubrieron en 1772 llegaron allí el día de Pascua.

Actividades

1. En un mapa de Chile, sitúe Antofagasta, Isla de Pascua, Santiago y Valparaíso.

2. ¿Qué lugar es el más atractivo, según su opinión? ¿Por qué?

....

....

....

3. Complete estos nombres de lugares turísticos.

a. V _ _ _ _ _ _ _ o

b. San P _ _ _ _ de A _ _ _ _ _ _

c. V _ _ _ _ de la _ _ _ a

d. I _ _ _ N _ _ _ _

4. Conteste las preguntas.

a. ¿Dónde se encuentran las tres casas-museo del poeta Pablo Neruda?

....

....

b. ¿Qué son los moáis?

....

....

5. En esta sopa de letras encuentre cuatro palabras relacionadas con los atractivos turísticos chilenos.

F	A	S	S	Z	X	F	Ñ	O	A	S	Ñ
U	W	R	T	Y	C	V	L	B	F	D	P
N	E	R	T	T	Y	U	K	S	T	D	O
I	O	P	P	O	I	U	J	E	T	F	K
C	I	U	Y	T	R	E	L	R	Y	G	J
U	T	R	E	W	W	Q	K	V	T	H	J
L	Y	U	I	O	P	P	L	A	Y	A	D
A	G	H	J	K	L	V	J	T	G	D	F
R	G	H	J	J	K	C	B	O	F	F	A
V	B	N	M	Ñ	L	V	B	R	V	S	D
C	Z	Z	X	C	V	B	N	I	C	V	A
P	A	C	I	F	I	C	O	O	G	T	Y

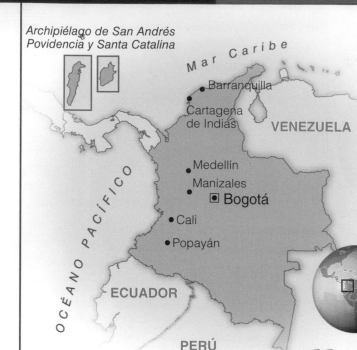

Archipiélago de San Andrés
Povidencia y Santa Catalina

Mar Caribe

Barranquilla
Cartagena
de Indias

VENEZUELA

Medellín
Manizales
◉ Bogotá

Cali

Popayán

OCÉANO PACÍFICO

ECUADOR

PERÚ

Un poco de historia

Las primeras poblaciones se fundan en 1525, después de la conquista de América. El proceso de independencia de España va desde el año 1810 hasta el año 1819. En 1819, después de la batalla de Boyacá, el Libertador **Simón Bolívar** es nombrado primer presidente de la Gran Colombia.

A mediados del siglo XIX se crean los partidos políticos liberal y conservador.

En 1991 surge la Constitución Política de Colombia ante la necesidad de reformar la Constitución centralista de 1886.

Colombia recibe su nombre del descubridor de América, Cristóbal Colón (en italiano, Cristoforo Colombo).

Datos del país

Superficie: 1 138 910 km²

Población: 42,3 millones habitantes.

Capital: Bogotá.

Ciudades importantes: Medellín, Cali, Cartagena de Indias.

Moneda: Peso colombiano (COP).

Forma de gobierno: República.

Flora y fauna

En Colombia es rica y variada.
Destacan las palmeras, en particular la "palmera de cera", que puede medir hasta 60 m de altura, y un importante número de aves, insectos y, sobre todo mariposas: 3 000.

Una capital muy poblada

Bogotá tiene más de **8 millones de habitantes.** Se encuentra en el centro del país, a unos 2 640 m de altitud.
En el siglo XVI, los conquistadores españoles crean el mito de **El Dorado**, un reino muy rico, donde las calles están cubiertas de oro y su rey se baña en oro antes de meterse en un lago.
Esta leyenda impulsó a muchas personas a explorar y conquistar el territorio.

Alimentos, energía e industria

Los productos más importantes de Colombia son: el café, el petróleo, el carbón, las esmeraldas, la caña de azúcar, los textiles, las flores...

El clima

Colombia está situada en el Trópico de Cáncer, por ello, su clima es muy **uniforme** todo el año.
Se caracteriza por ser frío en las zonas montañosas, templado en los altiplanos y tropical en las costas, con temperaturas estables a lo largo del año: una estación seca (verano) y otra de lluvias (invierno).

Actividades

1. Conteste las preguntas.

a. Observe el mapa. ¿Con qué países tiene frontera Colombia?

....
....

b. ¿En qué océanos están sus costas?

....
....

c. ¿De quién recibe su nombre Colombia?

....
....

d. ¿A qué altitud se encuentra la capital de Colombia?

....
....

e. ¿Por qué el clima en Colombia es uniforme a lo largo de todo el año?

....
....

f. ¿Cuál es la forma de gobierno de Colombia?

....
....

2. Complete con la palabra que corresponde.

a. _____: piedra preciosa que se encuentra en Colombia.

b. _____: leyenda de un reino muy rico, donde su jefe se baña en oro.

c. _____: héroe de la independencia de Colombia.

3. Encuentre en esta sopa de letras los nombres de cuatro ciudades colombianas.

A	C	U	I	P	J	H	G	C
F	A	X	Z	A	S	D	F	A
C	L	C	V	B	M	N	B	R
G	I	S	A	S	D	F	G	T
M	E	D	E	L	L	I	N	A
G	Q	R	R	T	U	P	O	G
F	R	E	E	T	Y	Y	T	E
A	K	L	Ñ	G	G	F	R	N
D	F	G	B	O	G	O	T	A

El almuerzo: una comida importante

En Colombia, las comidas son el **desayuno**, las **medias nueves** (un segundo desayuno o pequeño aperitivo a media mañana), el **almuerzo** (comida), las **onces** (merienda) y la **comida** (cena). Los colombianos dan especial importancia al almuerzo, que se toma entre las 13:00 y las 14:00. En general está constituido por una sopa, seguida de un plato (llamado seco o bandeja).

Los ingredientes básicos en la gastronomía colombiana son carne de ternera o de cerdo, papas (patatas), frijoles, maíz, pollo y arroz. El plato típico de la cocina bogotana es el **ajiaco,** una sopa de papas con pollo y maíz.

Delicias tropicales

Con la comida, se suele tomar siempre una bebida de alguna de las ricas frutas tropicales que hay en el país. La bebida hecha con agua y fruta se llama **jugo** (zumo) y la bebida hecha con leche y fruta se denomina **sorbete**.

Nombre de marca

En Colombia normalmente se pone un nombre del santoral a los niños, pero a veces dan el nombre de personajes famosos (*Leididí,* es decir, *Lady Di*) o de alguna marca de algún producto (*Winston Ortiz*).

Ocio

En Colombia existe mucha afición por el **fútbol**. Sin embargo, el deporte nacional es el **tejo**. Cada jugador debe lanzar un disco de hierro (tejo) hacia un círculo metálico llamado bosín. Allí se encuentran unos pequeños sobres de pólvora (mechas), que deben explotar con el impacto del tejo. El juego original, llamado

turmequé, lo practicaban los pueblos prehispánicos del altiplano. En lugar del disco de hierro, usaban un disco de oro macizo.

Otra manera de vivir

En las montañas de la Sierra Nevada, a 5 800 m, vive un pueblo precolombino muy pacífico: los **koguis**. Viven en completa armonía con la naturaleza.

En el documental de Alan Ereira, *Desde el corazón de la Tierra: Nuestros hermanos mayores,* los koguis nos llaman a la reflexión, pidiéndonos que cuidemos de nuestro planeta.

Bebida nacional

El café es tan apreciado en Colombia que es considerado la bebida nacional, especialmente en la forma del tinto (tacita de café fuerte).

Medicina tradicional

Colombia, que tiene una gran variedad de plantas, ha desarrollado una medicina tradicional muy importante que coexiste con la medicina científica. El sauco, por ejemplo, es una planta que se usa para curar enfermedades respiratorias... ¡y hay muchas más plantas para todo tipo de males!

¿Chocolate con queso?

En Bogotá se bebe el **chocolate santafereño,** servido con queso y pan (normalmente el queso se parte en trozos y se introduce en el chocolate).

Actividades

1. Relacione cada tipo de comida con el momento del día en que se come.

a. Medias nueves

b. Comida

c. Almuerzo

d. Onces

1. Merienda a media tarde.
2. Cena por la noche.
3. Segundo desayuno o pequeño aperitivo a media mañana.
4. Comida al mediodía.

2. Elija la opción correcta.

a. ¿Qué es un "tinto"?

☐ Un vino.

☐ Un café solo, cargado.

☐ Un zumo de fruta.

b. ¿Qué se le añade en Bogotá al chocolate que se bebe en taza?

☐ Crema.

☐ Galletas.

☐ Queso.

c. ¿Qué es el sauco?

☐ Un postre.

☐ Una planta.

☐ Un deporte.

3. Complete con la palabra que corresponde.

a. _____: pueblo precolombino pacífico que vive en la Sierra Nevada.

b. _____: nombre del chocolate que se bebe en Bogotá.

c. _____: deporte nacional de Colombia.

4. ¿Cuáles de los siguientes alimentos son típicos de la gastronomía colombiana?

MARISCOS - POLLO - TACOS - FRUTAS TROPICALES - ARROZ - CERDO - MANZANAS - FRIJOLES - PAPAS - PIZZA - OSTRAS - MAÍZ

5. ¿Qué es el ajiaco?

....

6. ¿Cómo se llama el director del célebre documental sobre los koguis?

....

Cuando reina Joselito

La alegría del costeño se manifiesta en el **Carnaval de Barranquilla,** uno de los más auténticos de Latinoamérica. Fue declarado Patrimonio Cultural de la Humanidad en 2003. El carnaval comienza con la batalla de flores y un espectacular desfile de carrozas. La diversión continúa con orquestas, bailes con disfraces y trajes típicos y termina con el entierro de **Joselito Carnaval,** figura simbólica de esta celebración.

Los colombianos siempre encuentran un motivo para salir de rumba (divertirse por la noche), celebrar y mantener vivas sus tradiciones heredadas de españoles, indígenas y africanos. La alegría del trópico se manifiesta en muchos de los carnavales, ferias y celebraciones que se llevan a cabo durante el año.

Cartagena de Indias: ciudad con mucha cultura

Además de ser conocida por su belleza, esta ciudad es famosa por su **Festival de Música del Caribe** que se celebra en marzo; en él participan grupos musicales de todas las islas caribeñas. En el mes de junio, también se celebra el festival de Cine Internacional.

Semana Santa

El pueblo colombiano tiene profundas raíces católicas y sus creencias se expresan en el esplendor con que se celebra la **Semana Mayor**, una tradición que viene de la época colonial. Varias ciudades y poblaciones destacan por sus procesiones: Popayán, donde además se celebra el **Festival Internacional de Música Religiosa**, Mompo y Pamplona.

Festival de teatro de Manizales

Desde 1968, cada año, en septiembre, tiene lugar en Manizales un importante festival de teatro que reúne los mejores grupos de toda Latinoamérica.

Feria de Cali

Después de Navidad, durante la última semana de diciembre, se celebra en Cali la **Feria de la Caña**. Algunas de las diversiones propias de esta feria son las cabalgatas y las corridas de toros. Y como Cali es la capital colombiana de la salsa, nunca falta la música y los bailes populares.

Amor y amistad

En el mes de septiembre se celebra en Colombia el **Día del Amor y la Amistad.** Ese día, los enamorados y también los amigos intercambian regalos. Sin embargo, en los últimos años, está teniendo más y más importancia el 14 de febrero, **Día de San Valentín,** como día del amor.

Actividades

1. ¿Cuáles de estas palabras se relacionan con el Carnaval de Barranquilla?

FLORES - ALMUERZO - DESFILE - DISFRACES - TOROS - SAN VALENTÍN - CABALGATAS - JOSELITO

2. Nombre dos ciudades colombianas donde se celebran las procesiones de Semana Santa más bonitas.

....

....

3. ¿Verdadero o falso?   V | F

a. En Manizales se celebra cada año
un importante festival de música.   ☐ | ☐

b. El famoso Festival de Música del
Caribe tiene lugar en mayo.   ☐ | ☐

c. Joselito Carnaval es el símbolo
del Carnaval de Barranquilla.   ☐ | ☐

d. La Feria de la Caña tiene lugar
en Cali, capital de la salsa.   ☐ | ☐

4. Elija la opción correcta.

a. En Barranquilla, el Carnaval termina con…

☐ fuegos artificiales.

☐ el entierro de Joselito Carnaval.

☐ una batalla de flores.

b. En septiembre se celebra…

☐ San Valentín.

☐ El Día del Amor y la Amistad.

☐ El Día del Amigo.

c. El Festival Internacional de Música Religiosa se celebra en…

☐ Popayán.

☐ Barranquilla.

☐ Cali.

d. En Colombia, *salir de rumba* significa…

☐ salir a divertirse de noche.

☐ ir a bailar la rumba.

☐ beber muchísimo.

El querido Gabo

Gabriel García Márquez, ganador del **Premio Nobel de Literatura 1982,** es uno de los escritores más importantes del mundo. Su libro *Cien años de soledad* está considerado la obra cumbre del **"realismo mágico"** (corriente literaria que surge en América Latina en el siglo XX). Otras obras importantes de García Márquez son: *El coronel no tiene quien le escriba* y *El amor en los tiempos del cólera,* además de muchos otros cuentos, novelas y artículos periodísticos.

Un personaje muy original

– Cuando Gabo terminó *Cien años de soledad,* debía mandarlo a una editorial de Buenos Aires. La obra tenía 400 páginas, pero como no tenía bastante dinero para enviarlo todo, solo envió las primeras 200.

– Al enterarse en 1982 de que le otorgaron el Premio Nobel de Literatura, el presidente de Colombia lo llamó para felicitarlo y Gabo le respondió: "Lo felicito a usted, Sr. Presidente. Colombia ya tiene su primer premio Nobel."

Fernando Botero: pintor y escultor

Es el pintor y escultor colombiano más conocido internacionalmente. Nacido en 1932 en Medellín, expone sus obras en alguna de las avenidas y plazas más famosas del mundo, como los Campos Elíseos en París, la Gran Avenida de Nueva York, el Paseo de Recoletos de Madrid, la Plaza del Comercio de Lisboa, la Plaza de la Señoría en Florencia y hasta en las Pirámides de Egipto.

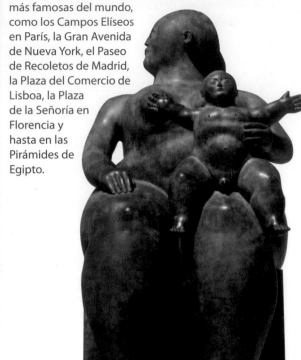

Manuel Elkin Patarroyo

En 1983, este científico colombiano inicia, con su equipo, trabajos sobre la malaria. Un año más tarde, obtiene lo que buscaba: la vacuna contra la malaria.

Cine

Entre los directores de cine colombianos, hay que citar a Sergio Cabrera. Su película *La estrategia del caracol* (1993), comedia-drama y relato sobre la libertad y la solidaridad, obtuvo muchos premios internacionales.

El sonido de la cumbia

La música tradicional colombiana tiene influencias africanas y europeas (especialmente españolas) y se inspira de las formas musicales modernas de América y del Caribe, así como de Trinidad y Tobago, Cuba y Jamaica. La cumbia es la danza nacional.

A bailar en español

En Colombia hay cantantes de fama internacional como Juanes, Shakira y Carlos Vives.

Juanes, nacido en Medellín en 1972, es un destacado artista y productor de música pop rock en español. Es autor del éxito *La camisa negra*, número uno en diversos países de América, Europa y Asia.

Shakira nació en Barranquilla en 1977. Es ganadora de tres premios Grammy Latinos y un Grammy por el mejor álbum pop latino por su aclamado *MTV Unplugged*.

Carlos Vives nació en Santa Marta en 1961. Cultiva los géneros pop, rock, baladas... También actúa en telenovelas.

Actividades

1. ¿Verdadero o falso?

	V	F
a. "Gabo" es el sobrenombre afectuoso que se le da a Gabriel García Márquez.	☐	☐
b. El realismo mágico es un género literario.	☐	☐
c. Fernando Botero es escultor y también músico.	☐	☐
d. *La camisa negra* es una famosa canción de Shakira.	☐	☐
e. La música tradicional de Colombia tiene influencias africanas.	☐	☐

2. Lea los siguientes fragmentos de la canción *La camisa negra* de Juanes y conteste las preguntas.

Tengo la camisa negra,
hoy mi amor está de luto.
Hoy tengo en el alma una pena
y es por culpa de tu embrujo.

Hoy sé que tú ya no me quieres
y eso es lo que más me hiere,
que tengo la camisa negra
y una pena que me duele.

a. ¿Por qué el cantante tiene la camisa negra? ¿Qué simboliza aquí el color negro?

....

b. ¿Cuál de las siguientes palabras es sinónimo de *embrujo*?

BRUJA - PENA - HECHIZO - AMOR - DOLOR

c. ¿Qué significa *estar de luto*?

☐ Llorar la muerte de alguien.

☐ Llorar de alegría.

3. Conteste las preguntas.

a. Cite dos géneros musicales que cultiva Carlos Vives.

....

b. Nombre tres ciudades del mundo en donde hay esculturas de Fernando Botero.

....

c. ¿Qué vacuna descubrió Manuel Elkin Patarroyo?

....

d. ¿Quién es el director de la película *La estrategia del caracol*?

....

Submarinismo

Tanto en el mar Caribe como en el océano Pacífico, Colombia ofrece paraísos submarinos para los amantes del buceo. Los arrecifes de coral y la fauna marina se pueden admirar en Cartagena, San Andrés, Gorgona, Malpelo, y muchos otros sitios.

El triángulo del café

El café puede considerarse una verdadera bebida *gourmet*, y para descubrirlo, nada mejor que recorrer el lugar en donde nace uno de los mejores cafés del mundo: los departamentos de **Caldas**, **Quindío** y **Risaralda**. En esta región rural es posible alojarse en antiguas **haciendas cafeteras**, convertidas en hoteles de lujo, y conocer todo el proceso de producción del café.

Cartagena de Indias

El madrileño don Pedro de Heredia funda Cartagena de Indias en 1533. Durante los siglos XVII y XVIII se construyen fuertes murallas y castillos para defender la ciudad de piratas, corsarios y ejércitos. El encanto de esta ciudad radica en su maravillosa arquitectura colonial, sus calles de piedra y los balcones de madera de las casas antiguas. Vale la pena visitar el **Palacio de la Inquisición**, la **Torre del Reloj** o el **Castillo de San Felipe de Barajas**. Ideal para románticos.

También se puede realizar un paseo ecológico por el **Jardín Botánico** o visitar las paradisíacas **islas del Rosario**, que rodean a la ciudad. Cartagena también tiene mucha vida nocturna: bares, restaurantes y discotecas, para salir de rumba hasta la madrugada.

Las piedras nos cuentan...

Para descubrir la vida de los antiguos habitantes de Colombia, nada mejor que el turismo arqueológico. A unos 500 km de Bogotá, se encuentra el **Parque Arqueológico San Agustín,** donde quinientas estatuas de piedra reflejan el arte, la mitología y las creencias de los antiguos pueblos prehispánicos. Las figuras más destacadas del parque son: *El Doble Yo, El Águila con una serpiente entre sus garras, El Partero y La fuente del Lavapatas.* El parque fue declarado Patrimonio Histórico y Cultural de la Humanidad por la UNESCO en 1995.

Museo de oro de Bogotá

En este museo se pueden admirar más de 30 000 piezas de oro de la época precolombina. Entre ellas, se encuentran joyas y representaciones de animales o ídolos.

Arena blanca y mar turquesa

A 700 km de la costa, en el mar Caribe, se encuentran las islas de **San Andrés, Providencia** y **Santa Catalina.** Allí hay playas de arena blanca, el mar turquesa y una intensísima actividad nocturna al son del reggae, el calipso, la salsa, el merengue y el reguetón.

Actividades

1. Elija un lugar de Colombia para visitar y justifique la elección.

....

....

2. ¿Cuáles de los siguientes nombres corresponden al Parque Arqueológico San Agustín?

UNESCO - REGUETÓN - ESCULTURA - ÁGUILA
PIEDRA - BUCEO - MITOLOGÍA - CALIPSO

3. Una las palabras de las dos columnas.

a. Joyas   **1.** Caldas

b. Estatuas de piedra   **2.** Cartagena de Indias

c. Murallas   **3.** Museo de oro de Bogotá

d. Café   **4.** Parque Arqueológico
                                              San Agustín

4. ¿Cuáles son los lugares más indicados para…

a. los que quieren romanticismo? ....

b. los que quieren bucear? ....

c. los que aman la historia? ....

d. los fanáticos del café? ....

5. Conteste las preguntas.

a. En el Triángulo del café, ¿dónde se han instalado hoteles de lujo?

....

....

b. ¿Qué cosas pueden encontrar los submarinistas en los mares colombianos?

....

....

c. ¿Cuáles son los ritmos más populares de las islas del Caribe colombiano?

....

....

d. ¿Quién fundó Cartagena de Indias? ¿En qué año?

....

....

NICARAGUA

Mar Caribe

Puntarenas • Alajuela • Heredia • Cartago • Puerto Limón

San José

OCÉANO PACÍFICO

PANAMÁ

Costa Rica está formada por pueblos de distintos orígenes: los **nativos** que trabajaban el oro y el jade siglos antes de la llegada de los españoles, los descendientes de esclavos venidos de África y las Antillas en el siglo XVIII, los criollos, los inmigrantes europeos…

// A los habitantes de Costa Rica les llaman *ticos*. //

Un país sin ejército
Desde 1948, Costa Rica es el único país latinoamericano que no tiene ejército.

Un presidente Premio Nobel de la Paz
En 1987, el presidente Óscar Arias Sánchez recibió este prestigioso premio por su participación en los procesos de paz en los conflictos armados de América Central.

Datos del país

Superficie: 51 100 km^2

Población: 4 253 877 habitantes.

Capital: San José.

Ciudades importantes: Cartago, Puntarenas, Puerto Limón, Alajuela.

Moneda: Colón costarricense (CRC).

Forma de gobierno: República.

Los ticos
Muchos llaman **ticos** a los costarricenses. La palabra viene de "hermanitico", el diminutivo usado por los soldados para llamarse entre ellos durante la campaña contra Walker.

Nos tratamos con respeto
En el trato, se suele llamar respetuosamente **Don** y **Doña** a la gente mayor. Por ejemplo: *Buen día don Julio* o *Esto es para Doña Carmen*. Los hombres se dirigen unos a otros con la palabra "mae" *(Buen día, mae)*. Muchos ticos se saludan con un "¿Quiubo?" (abreviación de *¿qué hubo?*) y exclaman: "¡Pura vida!", que significa *muy bien*.

Un poco de historia
En 1821, Costa Rica, Nicaragua, El Salvador, Honduras y Guatemala se independizan de España y forman la República de Centroamérica. Durante un tiempo son anexadas a México. En 1848, Costa Rica se declara definitivamente como república independiente. **José Santamaría**, soldado costarricense muerto en combate contra el aventurero estadounidense William Walker, es el héroe nacional. Después de la guerra civil (1948), la política costarricense se estabiliza hasta el presente.

Un país progresista
Costa Rica es un país con un nivel de alfabetización alto: 96%. La educación es gratuita.
También, en 1949, se reconoció el voto a la mujeres.

Economía y sociedad

La población del país tiene un nivel socioeconómico y educativo relativamente superior al del resto de Centroamérica, con una importante clase media que trabaja especialmente en la administración pública o en las zonas agroindustriales de la frontera con Nicaragua.

El país exporta plátanos, café –que es de gran calidad–, azúcar, cacao y piña.

El turismo y la construcción son importantes.

El volcán Arenal

Es uno de los volcanes más impresionantes de la costa oeste de Centroamérica, con la lava que baja por sus lados. ¡Un espectáculo que no hay que perderse!

Día de la Independencia

El 15 de septiembre, **Día Nacional de Costa Rica,** una antorcha de la libertad es traída por corredores desde Nicaragua hasta la ciudad de Cartago. El día anterior los niños desfilan con linternas, hechas por ellos mismos. La gente celebra este día con música y baile, al ritmo de la danza llamada **punto guanacasteco;** se comen alimentos típicos, hay populares corridas de toros y topes (desfiles de caballos).

Actividades

1. Conteste las preguntas.

a. ¿Cuándo se reconoce el voto femenino en Costa Rica?
....
....

b. ¿En qué año Costa Rica se declaró como república independiente?
....
....

c. ¿Qué países formaron la República de Centroamérica en 1821?
....
....

d. ¿Quién recibió el Premio Nobel de la Paz en 1987?
....
....

e. ¿Qué nombre se da a los costarricenses?
....
....

f. ¿Quién es el héroe nacional de Costa Rica?
....
....

2. Elija la opción correcta.

a. ¿Qué puede contestar si, en Costa Rica, le dicen *Quiubo*?
☐ No, gracias.
☐ Buen día, mae.
☐ ¡Pura vida!

b. ¿Qué producto exporta Costa Rica?
☐ Arroz.
☐ Té.
☐ Café.

c. Costa Rica tiene…
☐ un gran ejército.
☐ un nivel de alfabetización alto.
☐ un nivel socioeconómico inferior al resto de Centroamérica.

3. Subraye las palabras que se relacionan con la fiesta nacional de Costa Rica.

FLORES - ANTORCHA - CABEZUDOS - HAMBURGUESA - DESFILES - LINTERNAS - GUISO DE LENTEJAS - PUNTO GUANACASTECO - TOROS

Una leyenda musical: Chavela Vargas

Nace en Costa Rica en 1919. Luego se instala en México. Como cantante se hace famosa en los años 60-70. Fue amiga de los pintores Diego Rivera y Frida Kahlo. Sus canciones se escuchan en varias películas, como las del director de cine español Pedro Almodóvar.

Calipso

Es un ritmo afrocaribeño originario de Trinidad y Tobago, muy popular en todo el Caribe, que tiene mucho éxito en Costa Rica. Usa palabras en inglés y francés. El instrumento principal es un grupo de tambores metálicos fabricados con barriles de petróleo reciclados, llamados **steeldrums**. Su mayor representante en el país es el anciano músico **Walter Ferguson**.

Juntos es mejor

Hay que destacar la labor de **Papaya Music**, un grupo de músicos y productores que recupera la música tradicional y la hace conocer a los jóvenes.

Esferas misteriosas

Son un misterio sin resolver. Están por todo el país. Tienen diferentes medidas: desde dos metros de altura a muy pequeñas. Los arqueólogos las asocian a culturas precolombinas, pero ignoran su significado y utilidad. No se sabe cuándo se hicieron, pero sí que son muy antiguas. Lo más increíble es que son ¡esferas de piedra perfectas!, teóricamente imposibles de hacer con herramientas primitivas.

Museos

Si las artes plásticas modernas pueden apreciarse en el **Museo de Arte Costarricense,** el rico pasado precolombino puede admirarse en los maravillosos **Museo del Oro** y **Museo del Jade**, este último, único en el mundo.

Literatura tica

Nace a finales del siglo XIX y sigue de cerca los procesos culturales y políticos del país. La imagen del "concho", el campesino costarricense, aparece en la corriente costumbrista, que narra la vida cotidiana en el mundo rural.

Hacia 1940, el entorno caribeño y la explotación de las compañías bananeras *(United Fruit Co.)* da lugar a temas de crítica política y social.

En los años 80 surge la Generación del desencanto: se trata de la cultura posmoderna, que abandona el realismo y expresa su desilusión de los políticos locales.

La fascinante Isla del Coco

Si Costa Rica es un jardín lleno de riquezas, la Isla del Coco es quizás la reserva natural más especial de todas. Declarada Patrimonio Natural de la Humanidad por la UNESCO, en ella habitan especies valiosísimas que permiten estudiar la teoría de la evolución. Sirvió de refugio para piratas que escondían extraordinarios tesoros en los siglos XVII y XVIII. Muchos paisajes que se ven en la película *Parque Jurásico* son de allí.

Es un excelente lugar para observar la fauna marina y hacer buceo entre cuevas bajo el agua.

Actividades

1. ¿Verdadero o falso?

	V	F
a. Las "Esferas" que se pueden admirar en Costa Rica son del siglo XIX.	☐	☐
b. La Isla del Coco es un sitio ideal para bucear.	☐	☐
c. La literatura tica empieza en el siglo XVI.	☐	☐
d. Las esferas pueden verse en el Museo de Arte Costarricense.	☐	☐

2. Elija la opción correcta.

a. ¿Qué es el calipso?

☐ Un ritmo musical.

☐ Una bebida.

b. El steeldrums es…

☐ un grupo de música.

☐ un instrumento musical.

c. Chavela Vargas es…

☐ una cantante.

☐ una escritora.

3. Conteste las preguntas.

a. ¿Qué relación hay entre Costa Rica y la película de Steven Spielberg *Parque Jurásico*?

....

....

b. Cite un museo de Costa Rica donde se puede admirar el pasado precolombino.

....

....

c. ¿Cuál es el nombre de la corriente literaria que aparece en los años 80?

....

....

d. ¿De qué personas famosas fue amiga Chavela Vargas?

....

....

La población cubana

Se caracteriza por su diversidad étnica: está formada por descendientes de españoles y africanos y por la mezcla de ellos.

La población negra se estableció en el país durante la época colonial, cuando los colonizadores traían esclavos africanos para trabajar en las plantaciones de tabaco y azúcar.

La población es joven, con una edad media de 35 años.

Datos del país

Superficie: 110 922 km²

Población: 11 451 652 habitantes.

Capital: La Habana.

Ciudades importantes: Santiago de Cuba, Camagüey, Santa Clara, Trinidad, Holguín, Matanzas, Sancti Spíritus, Guantánamo.

Moneda: Peso cubano (CUP) y Peso convertible (CUC).

Forma de gobierno: República socialista.

// En Bahía Bariay hay un monumento que señala el punto exacto al que llegó Cristóbal Colón //

Un poco de historia

Cuando, el 27 de octubre de 1492, Cristóbal Colón llega a las costas cubanas con sus *tres barcos La Pinta, La Niña y La Santa María,* cree que está en Japón.

La Independencia

En 1868 se produce la primera Guerra para la Independencia, que dura 10 años. Como consecuencia de ella, queda abolida la esclavitud. José Martí (pensador, periodista y filósofo) dirige y organiza la guerra de 1895 (a la que llama "la guerra necesaria"), que acaba en 1898 y provoca la retirada definitiva de las tropas españolas. Poco después, en 1902, nace la República de Cuba.

Un pájaro muy pequeño

El zunzuncito *(mellisuga helenae)* es típico de Cuba. Mide unos 6,7 cm. También lo llaman pájaro mosca o trovador.

Cuba es una isla llana, sobre todo en las regiones occidental y central, con montañas importantes en su zona oriental; el lugar más alto es el **Pico Turquino**, con 2 005 m. El país tiene 5 746 km de costas y **289 playas**, algunas con arenas muy blancas. El clima es tropical; tiene una temporada seca de noviembre a abril y otra lluviosa de mayo a octubre. Entre agosto y octubre suele haber **huracanes**. La temperatura media es de 26° C; por eso Cuba es un destino turístico muy atractivo.

Made in Cuba

Cuba produce azúcar, ron y una bebida refrescante llamada guarapo (jugo de caña de azúcar). En la región más occidental de la isla se cultiva el tabaco más famoso del mundo, con el que se elaboran los **habanos** o puros. Los cafetales (plantaciones de café) se encuentran en la región de bosques montañosos. Existe una gran variedad de frutas (especialmente en la zona de El Caney, en Santiago de Cuba).

Un hombre que ha marcado la historia de Cuba

Fidel Castro Ruz nace el 13 de agosto de 1926. Para acabar con el régimen dictatorial de Fulgencio Batista organiza el ataque al Cuartel Moncada, en Santiago de Cuba; fracasa y va a la cárcel. Liberado, se exilia en México, donde conoce al guerrillero argentino Ernesto **"Che"** Guevara y planea la invasión guerrillera de 1956. La Revolución Cubana triunfa el **1 de enero de 1959**.

Actividades

1. ¿Verdadero o falso?

		V	F
a. El clima de Cuba es continental.		☐	☐
b. Cuba tiene frontera con México.		☐	☐
c. La montaña más alta de Cuba tiene una altitud de 2 005 m.		☐	☐
d. Santiago de Cuba es la capital del país.		☐	☐
e. En 1492, Fernando Ortíz descubre Cuba.		☐	☐
f. La población negra se estableció en Cuba después de la Independencia.		☐	☐
g. Cuba es productor de azúcar.		☐	☐
h. La edad media de la población cubana es de 50 años.		☐	☐
i. La revolución de 1959 acaba con la esclavitud.		☐	☐
j. El guarapo es una fruta.		☐	☐

2. Elija la opción correcta.

a. Cuba produce…

☐ tabaco.

☐ trigo.

b. Cuba es un país donde hay…

☐ terremotos.

☐ huracanes.

c. El zunzuncito es un…

☐ pájaro.

☐ mosquito.

3. Relacione las siguientes fechas con los acontecimientos históricos.

1492 - 1868 - 1898 - 1902 - 1959

a. Triunfo de la Revolución: _____.

b. Colón llega a Cuba: _____.

c. Primera guerra de independencia: _____.

d. Instauración de la República: _____.

e. Retirada definitiva de los españoles: _____.

La familia cubana

En una misma casa (o pequeño apartamento) **conviven** varias generaciones de familiares: los abuelos cuidan a los niños, porque no hay muchas guarderías; cuando se casan, los cubanos siguen viviendo con sus padres y el número de divorcios es muy alto. Cada vez es más frecuente encontrar familias monoparentales. Tampoco es habitual adoptar niños.

¿Cómo se llaman?

El gusto por ser originales explica los nombres que los padres cubanos ponen a sus hijos. En los 70 se ponen de moda los **nombres rusos:** Vladimir, Yury, Alexis, Lenin, Tatiana, Natasha, Alina, Katia, Nadia.

A partir de 1990 se eligen nombres que empiezan por Y, lo que se llama **Generación Y:** Yuasmimirka, Yuniel, Yunieski, Yulieski, Yolexis, Yuslan, Yoanni, Yumiel, etcétera.

Para beber

El café muy fuerte y con mucho azúcar se bebe por la mañana y después del almuerzo; en las fiestas se consume ron o cerveza. Hay varios cócteles típicos cubanos: **cubalibre** (coca-cola, limón y hielo), **daiquirí** (zumo de limón y azúcar), **mojito** (zumo de limón, azúcar y menta) y **piña colada** (coco batido y zumo de piña); todos ellos con ron.

La bodega y la *shopping*

Con el nombre inglés *shopping* (compras) se conocen las tiendas en las que solo se puede pagar en pesos cubanos convertibles. En las tiendas locales, llamadas **bodega**, se encuentran productos básicos. Se paga en moneda nacional, el peso, y en ella suele haber mucha gente para comprar productos. Los productos agrícolas (tanto vegetales como animales) se venden en los **mercados agropecuarios** de las ciudades donde los campesinos ofrecen sus productos en moneda nacional. También es habitual ver a campesinos vender sus productos por las calles (cantando canciones para ofrecer pimientos, yuca, malanga, tomate, etc.) y a veces se venden platos ya cocinados en casas, a precios muy baratos.

Salir a comer

Para comer fuera de casa, se puede buscar una **Paladar** (palabra importada de una telenovela brasileña para indicar las casas particulares que sirven comida); en los últimos años, este tipo de restaurantes caseros está en crisis.

Un día en Cuba

Para los habitantes de La Habana lo más normal es moverse en **camello** (un camión con forma de autobús), que puede llevar a más de 300 personas. Para desplazarse, los trabajadores de otras ciudades usan carretillas de caballos, bicicletas y coches o carros de alquiler que funcionan como taxis. Por la noche, después de las noticias de la televisión, el país se para: es la hora de la telenovela, que se ve en todas las casas, con toda la familia y con los vecinos reunidos frente al televisor.

Algunos platos muy cubanos

Moros y cristianos: frijoles negros con arroz blanco.
Congrí: frijoles rojos con arroz.
Hayaca o tamal: plato hecho a base de maíz envuelto en su propia hoja. Para hacer un tamal, se necesita maíz, leche, carne de cerdo (puerco), ajo, cebolla, ají (pimiento), sal y pimienta.
Ajiaco: estofado de carne, verduras y mucho ajo.
Los cubanos son muy aficionados a los **helados** y en todas las ciudades hay un **Coppelia** (cadena de heladerías que pertenece al Estado).

Actividades

1. Elija la opción correcta.

a. El transporte típico de La Habana es…

☐ el camello.   ☐ el metro.

b. ¿Cómo se llama la tienda donde solo se puede comprar con pesos cubanos convertibles?

☐ La *shopping*.   ☐ La bodega.

c. ¿Cuál de estos platos típicos cubanos se prepara con frijoles?

☐ Ajiaco.   ☐ Congrí.

d. Desde 1990, los nombres de moda en Cuba dan lugar a la generación…

☐ Rusa.   ☐ Y.

2. ¿Comidas o bebidas? Coloque las siguientes palabras en la lista que le corresponde.

CONGRÍ - MOJITO - DAIQUIRÍ - AJIACO

TAMAL - MOROS Y CRISTIANOS - PIÑA COLADA

Comidas	Bebidas

3. ¿Verdadero o falso?

	V	F
a. La adopción de niños es un fenómeno muy normal en Cuba.	☐	☐
b. Un Coppelia es una cadena de helados.	☐	☐
c. En el desayuno, los cubanos beben el café muy dulce.	☐	☐
d. La telenovela se ve antes de las noticias de la noche.	☐	☐
e. El congrí se prepara con arroz y frijoles rojos.	☐	☐
f. La base de los cócteles cubanos es el coco.	☐	☐
g. Una Paladar es una tienda de comestibles.	☐	☐
h. En Cuba, hay muy pocas familias monoparentales.	☐	☐

Fiestas aquí y allá

Las fiestas tradicionales se celebran por toda la isla. Hay un total de 370 fiestas diferentes que incluyen carnavales, fiestas campesinas y fiestas de origen africano. La situación de crisis económica, denominada **Período Especial,** que dura desde la desaparición de la Unión Soviética (1989), afecta al número y a la calidad de las fiestas, que a veces no se pueden celebrar por falta de recursos económicos.

La Fiesta del Fuego

Del 3 al 9 de julio, antes de la celebración del carnaval, en Santiago de Cuba se celebra la **Fiesta del Fuego;** hay bailes en la calle, talleres y mucha diversión. Cada año, esta fiesta está dedicada a un país diferente del Caribe. La fiesta termina con un rito antiguo: la última noche, se quema una figura del diablo mientras los participantes cantan y bailan alrededor de ella. Luego sus cenizas se echan al mar para asegurar el bienestar y el progreso de los países caribeños y sus habitantes.

Un pueblo alegre y festivo

En Cuba, cada fiesta y cada celebración van acompañadas de música y se convierten en un motivo para compartir un rato agradable con amigos e incluso con desconocidos, en la calle y también en casa. En las fiestas familiares se mata un cerdo (puerco asado) para todos los invitados y se suele beber cerveza y ron.

Fiestas revolucionarias

El triunfo de la Revolución, el 1 de enero de 1959, sigue celebrándose con discursos en la plaza de la Revolución de La Habana y con manifestaciones en todos los pueblos y ciudades de la isla. Para la **fiesta del Trabajo,** miles de cubanos se trasladan a la capital para participar en el desfile popular que se celebra cada Primero de mayo.

El regreso de la Navidad

La fiesta cristiana de la Navidad (25 de diciembre) es de nuevo oficial desde la histórica visita del papa Juan Pablo II a Cuba en 1998. Como en todo el mundo cristiano, la Nochebuena se celebra con una cena familiar en la que los cubanos suelen comer cerdo asado y frijoles negros.

Los bembé: sincretismo y santería

La **Santería:** en Cuba, esta religión tiene más de cinco millones de seguidores, que se distinguen por su ropa blanca y por collares y pulseras de diferentes colores. Se trata de una religión de origen africano que tiene muchos dioses y diosas (llamados Orishas) identificados en su mayoría con santos cristianos.

Un **bembé** es un rito que se celebra en las casas particulares y consiste en el sacrificio de un animal (matado al amanecer) que se ofrece al Orisha. También se le regalan dulces caseros, frutas, dinero, objetos personales, velas y ron. Con el alcohol, la música y el canto (los tambores suenan todo el tiempo desde la tarde anterior) los participantes suelen entrar en trance.

Actividades

1. Conteste las preguntas.

a. Antes de carnaval, ¿qué fiesta se celebra en Santiago de Cuba?

....

....

b. Una visita histórica permitió en Cuba el regreso de la Navidad. ¿Quién vino a este país?

....

....

c. El triunfo de la revolución se celebra con dos tipos de actuaciones. ¿Cuáles son?

....

....

2. ¿Verdadero o falso?

	V	F
a. La Navidad no es una fiesta oficial en Cuba.	☐	☐
b. La Santería es una religión de origen africano.	☐	☐
c. Algunas fiestas no se pueden celebrar por problemas económicos.	☐	☐
d. El pueblo cubano no es muy alegre.	☐	☐

3. Elija la opción correcta.

a. ¿Qué se arroja al mar el 9 de julio en Santiago de Cuba?

☐ Cenizas.

☐ Alcohol.

☐ Un diablo.

b. ¿Cómo se puede reconocer a un practicante de la Santería?

☐ Por su ropa negra y sus pulseras doradas.

☐ Por su ropa colorida y sus pulseras blancas.

☐ Por su ropa blanca y sus pulseras coloridas.

c. Dos tradiciones religiosas se unen en la Santería. ¿Cuáles son?

☐ Africana y judía.

☐ Africana y católica.

☐ Católica y cubana.

d. ¿Cómo se llaman los dioses de la Santería?

☐ Changos.

☐ Orishas.

☐ Guateques.

La música cubana se canta y se baila en todo el mundo y está presente a todas horas y en todo momento en la vida del cubano. Hay diferentes ritmos, como la rumba, el bolero, el son, el chachachá, el mambo, la salsa, etc. Cada uno tiene su baile correspondiente, pero todos se interpretan con los mismos instrumentos: guitarra, maracas, diferentes tipos de tambores y a veces también instrumentos de viento: flautas y trompetas.

El Ballet Nacional de Cuba

Nace en 1948, bajo la dirección de **Alicia Alonso**, y se considera una de las mejores compañías del mundo. Tiene su sede en el Gran Teatro de La Habana, que es el más antiguo de toda América. El Ballet Nacional de Cuba une la tradición clásica con la cultura latinoamericana.

Rap en La Habana

Cada año, en el Anfiteatro Alamar de La Habana, se celebra un festival de rap en el que participan diferentes grupos internacionales.

Buena Vista Social Club

En 1997, se realizó en Cuba un álbum de música conocido como *Buena Vista Social Club,* que fue ganador de un *Grammy*. Este álbum reúne a muchos músicos cubanos olvidados y ya mayores, como **Compay Segundo**, Ibrahim Ferrer, Omara Portuondo... que interpretan canciones del son cubano. Hoy en día, estos músicos son famosos en el mundo entero.

Luz, cámara... ¡acción!

La creación del Instituto Cubano del Arte y la Industria Cinematográfica (ICAIC), después de la Revolución, es el origen del gran desarrollo que tiene el cine en Cuba. Desde 1979 se celebra anualmente en La Habana el **Festival Internacional del Nuevo Cine Latinoamericano**. Las películas de **Tomás Gutiérrez Alea** (director, entre otras, de la película *Fresa y chocolate*) tratan, con el humor típico de los cubanos, los problemas diarios que se viven en la isla. En el cine documental, el trabajo de **Santiago Álvarez** es muy valorado dentro y fuera de Cuba y cada año se celebra en Santiago de Cuba el Festival Internacional de Cine Documental que lleva su nombre.

Casas de la trova

Se encuentran en todas las ciudades y en algunos pueblos. En ellas se reúnen grupos locales para cantar y bailar canciones tradicionales (el son cubano).

Deporte

El deporte nacional en Cuba es el **béisbol**. Otro deporte muy popular, que se enseña en las escuelas y se juega en los parques de las ciudades, es el ajedrez. El campeón del mundo de **ajedrez** (desde 1921 hasta 1927) es el maestro cubano José Raúl Capablanca.

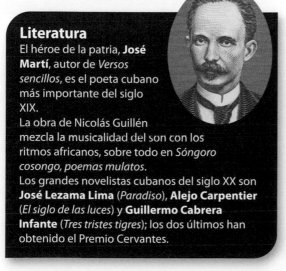

Arte

En el Museo Nacional de Bellas Artes, en La Habana, se pueden admirar obras de dos de los grandes pintores de Cuba: **Wilfredo Lam** y **René Portocarrero**.

Literatura

El héroe de la patria, **José Martí**, autor de *Versos sencillos*, es el poeta cubano más importante del siglo XIX.

La obra de Nicolás Guillén mezcla la musicalidad del son con los ritmos africanos, sobre todo en *Sóngoro cosongo, poemas mulatos*.

Los grandes novelistas cubanos del siglo XX son **José Lezama Lima** (*Paradiso*), **Alejo Carpentier** (*El siglo de las luces*) y **Guillermo Cabrera Infante** (*Tres tristes tigres*); los dos últimos han obtenido el Premio Cervantes.

Actividades

1. Asocie los nombres de la columna de la izquierda con las obras o actividades de la columna de la derecha.

a. Alicia Alonso   1. Ajedrez

b. José Raúl Capablanca   2. *Fresa y chocolate*

c. Wilfredo Lam   3. Ballet Nacional

d. Tomás Gutiérrez Alea   4. *Sóngoro cosongo*

e. Compay Segundo   5. *Paradiso*

f. Nicolás Guillén   6. Pintura

g. José Lezama Lima   7. Buena Vista Social Club

2. ¿Verdadero o falso?   V | F

a. La música cubana siempre se interpreta con instrumentos de viento. ☐ ☐

b. Dos novelistas cubanos han ganado el Premio Cervantes. ☐ ☐

c. El fútbol es el deporte más practicado en Cuba. ☐ ☐

d. Cada año, en La Habana, hay un festival de rap. ☐ ☐

e. Buena Vista Social Club reúne músicos jóvenes y poco experimentados. ☐ ☐

f. José Martí es el autor del himno nacional cubano. ☐ ☐

g. *Fresa y chocolate* es una película muy divertida. ☐ ☐

3. Lea este poema de José Martí. ¿Cómo se relaciona el poeta con amigos y enemigos? ¿Qué puede simbolizar la rosa blanca?

Cultivo una rosa blanca
en junio como en enero
para el amigo sincero
que me da su mano franca.

Y para el cruel que me arranca
el corazón con que vivo,
cardo ni ortiga cultivo;
cultivo la rosa blanca.

....
....
....
....

La Habana de noche

La noche habanera comienza a las 21:00, con el tradicional **cañonazo** que se celebra a diario en la **Fortaleza de la Cabaña**, donde actores vestidos como soldados del siglo XIX representan el cierre de las puertas de la ciudad.

Hay teatros, cines, ballet y cabarets, como el famoso **Tropicana**, un escenario al aire libre donde se muestra el folclore y los bailes del Caribe; discotecas, bares y restaurantes, los más conocidos son el **Floridita** (su especialidad es el daiquirí) y **La Bodeguita del Medio**, que ofrece el auténtico mojito.

Playa y sierra

Al este de La Habana hay playas de arena blanca y aguas limpias que permiten descansar. Otro lugar muy visitado por sus playas y hoteles es la península de **Varadero**, capital turística de Cuba, donde las palmeras cercanas al mar ofrecen un paisaje paradisíaco.

En **Cayo Largo** se puede disfrutar de un mar muy agradable por la temperatura de sus aguas, con 27 kilómetros de playas de arena blanca.

Además del mar, Cuba tiene la **Sierra Maestra** (donde está el Pico Turquino, el lugar más alto de la isla) y la sierra de Escambray, que tiene bosques tropicales con una gran variedad de especies animales y vegetales.

Otra ciudad que hay que conocer es **Santa Clara**, donde descansan los restos del héroe de la Revolución, Ernesto "Che" Guevara.

Arquitectura, tabaco y cocodrilos

La ciudad colonial por excelencia del país, con sus calles estrechas y sus casas de tejados rojos, es **Trinidad,** Patrimonio de la Humanidad desde 1988. Allí se puede visitar el Museo de Arquitectura Colonial, el Museo Romántico (con una colección de ropas y muebles del siglo XVIII) y el Museo de Arqueología, que expone el modo de vida de los indígenas. Otros sitios menos conocidos merecen también una visita; es el caso de **Camagüey,** de estilo colonial.

Con un criadero de cocodrilos, el pueblo de **Guamá** tiene casas de madera parecidas a las de los primeros habitantes de Cuba. En el valle de **Viñales** se contemplan las inmensas plantaciones de tabaco de la isla.

Actividades

1. Coloque los nombres siguientes en la columna correspondiente.

TROPICANA - CAYO LARGO - FLORIDITA - TRINIDAD - GUAMÁ - VARADERO - FORTALEZA DE LA CABAÑA - SANTA CLARA - BODEGUITA DEL MEDIO - CAMAGÜEY

La Habana	Playas	Otros lugares
....	....	....
....	....	....
....	....	....
....	....	....

2. Elija la opción correcta.

a. Tropicana es...

☐ un restaurante.

☐ un cabaret.

☐ un cine.

b. En el valle de Viñales...

☐ está la sepultura del "Che".

☐ hay plantaciones de tabaco.

☐ hay plantaciones de café.

c. En Guamá, se puede visitar...

☐ un Museo de Arquitectura Colonial.

☐ una plantación de tabaco.

☐ un criadero de cocodrilos.

3. Seleccione tres lugares de Cuba que le gustaría visitar. Justifique la elección.

....
....
....

4. Lea el siguiente fragmento de un correo electrónico. ¿Qué lugar de Cuba están describiendo?

...y tomamos la Carretera Central. Pasamos por Santa Clara, Cienfuegos, y llegamos a un verdadero Museo al aire libre. Una ciudad construida en el siglo XVI que se mantiene casi intacta. ¡Una joya arquitectónica colonial! Nos sentimos dentro de una película, o de la máquina del tiempo...

Islas Galapagos

Isabela

COLOMBIA

Otavalo

⊡ Quito

OCÉANO PACÍFICO

Guayaquil

Cuenca

PERÚ

" Ecuador debe su nombre a la línea ecuatorial que atraviesa su territorio. "

Cerca de Quito se encuentra el monumento **La Mitad del Mundo**. Se trata de un destino turístico muy importante, ya que allí, el visitante puede tener un pie en el hemisferio norte y el otro en el hemisferio sur.

¡Un país ideal para observar las aves!

Hay más de 1 500 especies de aves en Ecuador. Entre ellas, destaca la "estrella de los Andes", un colibrí que tiene la capacidad de variar su temperatura corporal entre los 40º y los 15º C.

Datos del país

Superficie: 283 560 km² (incluye islas Galápagos).

Población: 13,3 millones habitantes.

Capital: Quito.

Ciudades importantes: Guayaquil, Cuenca, Otavalo...

Idiomas: Español (oficial), quechua.

Moneda: Dólar estadounidense.

Forma de gobierno: República.

¡El país de los 55 volcanes!

El Cotopaxi tiene una altura de 5 897 metros y es el volcán activo más alto del mundo. Actualmente su actividad es mínima: pequeñas columnas de humo.

Ecuador es uno de los países más pequeños de Suramérica. Presenta tres regiones: **la cordillera de los Andes**, donde está el volcán Cotopaxi; **la costa** (océano Pacífico) y **el Oriente** (cuenca alta del Amazonas). Es un país que ofrece una gran variedad de paisajes y que posee una fauna y una flora muy ricas. La mayor parte de los ecuatorianos vive en las zonas montañosas. El 25% de la población es indígena, con una mayoría de quichuas, que hablan la lengua quechua.

Los cofanes

Son un pueblo amerindio que vive en la Amazonia ecuatoriana. Las principales comunidades son las de **Dureno** y **Zábolo**. Conocen muy bien las plantas medicinales de la selva.

Los Valdivias, primera cultura sedentaria de Ecuador

Antes de la conquista de Ecuador por los incas (siglo XV), hace unos 3 000 años, vivían en la costa del Pacífico los **Valdivias**.
Cultivaban maíz y yuca. Son famosas sus pequeñas figuras de cerámica, que suelen representar a mujeres.

El famoso sombrero panamá

El sombrero de **Jipijapa**, conocido como sombrero de panamá, no es de Panamá. ¡Es ecuatoriano! Los sombreros panamá se siguen fabricando, sobre todo en Jipijapa y en Montecristi.

Economía

Ecuador es un importante exportador de **plátanos** (bananas). También tiene petróleo y reservas de gas natural.

Actividades

1. Conteste las preguntas.

a. ¿Cuáles son las regiones más importantes de Ecuador?

....
....

b. ¿Cuántos habitantes tiene Ecuador?

....
....

c. ¿Dónde vive la mayor parte de la población?

....
....

d. ¿Cuál es la capital de Ecuador?

....
....

e. ¿Cuál es el origen del nombre de este país latinoamericano?

....
....

2. Elija la opción correcta.

a. Ecuador es un gran exportador de...
☐ arroz.
☐ plátanos.
☐ trigo.

b. Los Valdivias cultivaban...
☐ maíz y trigo.
☐ maíz y papa.
☐ yuca y maíz.

c. El Monumento de La Mitad del Mundo está...
☐ entre los hemisferios oriental y occidental.
☐ entre los hemisferios norte y sur.
☐ entre América Central y América del Sur.

d. Los cofanes son...
☐ un pueblo amerindio de hoy.
☐ un pueblo amerindio desaparecido.
☐ un tipo de cereal.

3. ¿Verdadero o falso?

	V	F
a. Los Valdivias eran un grupo musical famoso en los años 1950.	☐	☐
b. El sombrero Jipijapa se fabrica en Panamá.	☐	☐
c. El Cotopaxi es un volcán que sigue activo.	☐	☐
d. El quechua es una lengua aborigen que se habla en Ecuador.	☐	☐

LA MUJER ECUATORIANA

Según la constitución, las mujeres de Ecuador tienen los mismos derechos que los hombres, pero hay aún bastante discriminación en los salarios o para acceder a puestos de responsabilidad. Las mujeres suelen casarse a los 23 años en las ciudades y en el campo, la edad puede ser 14 años.

Desempleo y emigración

Más del 10% de la población ecuatoriana no tiene trabajo. Por otra parte, muchos ecuatorianos (38,5%) viven bajo el umbral de la pobreza, lo que les obliga a abandonar el país.

En los últimos años, unos 3 millones de ecuatorianos han emigrado, la mayoría a Estados Unidos, España e Italia.

El español de Ecuador

En Ecuador, se usan palabras diferentes que en España para nombrar cosas corrientes. Por ejemplo: *caleta* significa 'casa' y *chiva* es una 'bicicleta'.

Una invitación

Los invitados son siempre bien recibidos en Ecuador. Normalmente, la gente llega con un poco de retraso, ya que la puntualidad no reina en este país, hasta tal punto que, hace unos años, se hizo una campaña para acabar con este problema. Después de cenar, los invitados se quedan a charlar hasta medianoche y a menudo, en el momento de la despedida, reciben un pequeño regalo de sus huéspedes.

Algunos platos ecuatorianos

EL YAGUARLOCRO
Un plato peculiar pero buenísimo
Su nombre significa 'sopa de sangre y papa' (patata).
En quechua, *yaguar* es 'sangre' y *locro* quiere decir 'sopa de papa', en general. Este sopa es típica de la sierra y está elaborada con morcilla (de ahí lo de sangre).

LA FANESCA
Sopa típica de Semana Santa
De una región a otra, los ingredientes varían, pero en general no lleva carne. Está hecha con cereales y, a veces, se añade pescado (bacalao). Se adorna con bananas.

Los mercados de la sierra

Cada pueblo o ciudad tiene su día de mercado donde pequeños agricultores y artesanos venden sus productos. Estos mercados son muy coloridos y tienen mucho ambiente. Allí se puede comprar fruta, flores, ropa típica... y comer en los diferentes puestos de comida. El más importante de todos es el de Otavalo.

El cebiche

Sabroso plato de pescado que se prepara también en otros países de Sudamérica.

Ingredientes:
1 kg de pescado y marisco, 1 cebolla grande cortada, *perejil picado, chile a gusto, zumo de limón para cubrir.*

Preparación:
Mezclar todos los ingredientes y dejar reposar 2 horas en el frigorífico.

Los transportes

Los ecuatorianos suelen usar el autobús para ir de una ciudad a otra. La red de trenes no es muy importante y es más bien turística, como el tren que va desde Riobamba hasta la zona tropical, por la **Nariz del Diablo**: un recorrido de 800 metros en zig-zag, entre paredes rocosas. ¡Bello y escalofriante!

Poncho y cinturón

Los indígenas llevan ponchos y siguen la tradición en lo referente a colores, formas y motivos decorativos. En **Cañar** (pueblo situado en la sierra), los hombres cañari, además del poncho, llevan un cinturón: es una cinta de unos 10 cm de ancho en la que están representados (por ambos lados) figuras de todo tipo: aves, conejos...

Actividades

1. Conteste las preguntas.

a. ¿A qué edad suelen casarse las ecuatorianas?

....

....

b. ¿Los ecuatorianos son gente puntual?

....

....

c. ¿Cuántos ecuatorianos han dejado su país en los últimos años? ¿Adónde van?

....

....

2. Complete el texto con las palabras adecuadas.

Según la .... las mujeres ecuatorianas tienen los mismos .... que los hombres. En la realidad, sigue habiendo ....

3. ¿Cuáles son los ingredientes del cebiche? Señalar las opciones correctas.

a. carne ☐

b. banana ☐

c. pescado ☐

d. limón ☐

e. papa ☐

f. cebolla ☐

4. Elija la opción correcta.

a. El mercado más importante de la sierra está en...

☐ Cañar.

☐ Otavalo.

b. La Nariz del Diablo es...

☐ una estatua indígena.

☐ un tramo de vías de tren.

c. En español de Ecuador, *caleta* significa...

☐ coche.

☐ casa.

Navidad y Año Nuevo en Ecuador

El Pase del Niño

Es una tradición muy antigua que tiene lugar el 24 de diciembre, en Cuenca. Se celebra el nacimiento de Jesús. Los protagonistas de esta fiesta son los niños. Vestidos con ropa típica de los Andes, pasean en bonitos carros decorados con escenas bíblicas. Cierra la procesión el carro que transporta al "**Niño viajero**", una imagen del siglo XIX. La procesión dura unas siete horas y asiste mucha gente.

Quema del año viejo

En la noche del 31 de diciembre, las calles de las ciudades se llenan de **muñecos** de tamaño natural que suelen llevar caretas (muchos representan personajes de la vida pública de Ecuador) y que se queman en la calle.

Agosto en Quito, mes de las artes

Es un mes en el que se puede ver todo tipo de espectáculos: música, danza, teatro, cine...

Carnaval. Peleas de agua y espuma

En Ecuador, como en muchos países, el carnarval se celebra a lo grande. Pero allí, hay una curiosa costumbre: se hacen **peleas de agua**. Los días anteriores al miércoles de ceniza niños, jóvenes y adultos salen a la calle y se tiran agua, solo por el placer de mojarse.

La ciudad de Ambato es la única ciudad que no siempre sigue esta tradición, cuando coincide el carnaval con la **Fiesta de las frutas y las flores**.

La Mama Negra

En **Latacunga**, capital de la provincia de Cotopaxi, se celebra una de las fiestas tradicionales más interesantes de Ecuador: la **Fiesta de la Mama Negra**. El protagonista de esta fiesta es un hombre disfrazado de mujer negra. Tiene los labios pintados, lleva una peluca y va montado a caballo.

Otavalo: Inti Raymi y Fiesta del Yamor

Otavalo es un lugar del altiplano muy visitado en Ecuador. Allí tienen lugar dos fiestas muy vistosas y tradicionales.

El **Inti Raymi** (en junio) viene de una antigua ceremonia religiosa andina en honor al sol. En quechua, Inti Raymi significa *Fiesta del Sol*.

La **Fiesta del Yamor** tiene lugar las dos primeras semanas de septiembre. Es la fiesta de la cosecha. Se llama fiesta del Yamor por el nombre de la bebida que se bebe para esta ocasión, el

 **yamor**, preparada con varios tipos de maíz. Durante la fiesta, se comen platos típicos: maíz hervido, cerdo, llapingachos (tortas fritas de papas y queso), ensalada...

Actividades

1. Relacione las dos columnas.

a. Inti Raymi   **1.** Pelea de agua.

b. Carnaval   **2.** Quema de muñecos.

c. Mama negra   **3.** Sol.

d. Nochevieja   **4.** Hombre disfrazado.

2. Elija la opción correcta.

a. El yamor es...

☐ un disfraz.

☐ una bebida.

b. El Pase del Niño es una tradición que tiene lugar en...

☐ Navidad.

☐ Semana Santa.

c. Los muñecos del 31 de diciembre representan...

☐ animales míticos.

☐ personajes de la vida pública.

d. En Ambato, a veces no se celebra el carnarval porque coincide con…

☐ la Fiesta del Yamor.

☐ la Fiesta de las frutas y las flores.

3. Conteste las preguntas.

a. ¿En qué fiesta le gustaría participar?
¿Por qué?
....

b. ¿Alguna de estas fiestas se parece a una fiesta de su país? ¿Cuál? ¿Por qué?
....

c. ¿Cuándo y dónde se celebra el mes de las artes?
....

Un país con muchos tesoros

Ecuador es un país que conserva muchos tesoros. Por ejemplo, la arquitectura de Quito y Cuenca es tan maravillosa que estas ciudades son Patrimonio de la Humanidad, la primera desde 1978 y la segunda desde 1999.

Un cineasta de gran talento

Camilo Luzuriaga es uno de los directores de cine más representativos del cine iberoamericano. En 1996,

dirige la película *Entre Marx y una mujer desnuda,* con la que obtiene un gran éxito internacional. Gana el premio a la Mejor Dirección Artística del XVII festival de Cine de La Habana.

Tierra de grandes pintores

La escuela quiteña

Fundada por los jesuitas, se caracteriza por el uso de colores ocres y fríos. Los pintores más famosos de esta escuela son **Miguel de Santiago** (1626-1706) y **Nicolás Javier de Goríbar** (1685-1736).

El movimiento indigenista

Uno de sus representantes más famosos es **Oswaldo Guayasamín** (1919-1999). Su estilo viene del cubismo. En su obra, muestra la miseria en la que viven los indígenas de su país y la injusticia que sufren.
Fue amigo personal de grandes personajes del mundo artístico y político (Fidel Castro, Gabriel García Marquez, entre otros).

Jefferson Pérez, un gran atleta

Es el mayor representante del atletismo ecuatoriano. Obtuvo la medalla de oro en la modalidad de marcha, en Osaka (2007), y la de plata en los Juegos Olímpicos de Pekín (2008).

Música

El pasillo

Entre los diferentes estilos de música, en Ecuador destaca el pasillo: un género musical que se originó en los territorios de la antigua Gran Colombia.

En Ecuador, la popularidad del pasillo empezó a principios del siglo XIX y alcanzó su cumbre con **Julio Jaramillo** (1935-1978), una de las voces más famosas y queridas de América.

Instrumentos de música indígenas: El **pingullo** es un instrumento musical de viento de 80 cm de largo y 10 de diámetro. En las fiestas, acompaña al bombo. El **chuchi pingullo** es muy pequeño y antiguo; está hecho con un hueso de cóndor.

El Ecuavoley: un deporte típico de Ecuador

Se trata de una variante del vóley tradicional. Es un deporte que practican tanto las mujeres como los hombres. Para jugar se utiliza una pelota de fútbol, otro deporte muy apreciado en Ecuador.

Literatura

La literatura ecuatoriana, de tipo costumbrista, no es muy conocida fuera del país. Sin embargo, algunos escritores son reconocidos en el extranjero, como es el caso de **Juan Montalvo** (1832-1889). Su obra más característica es *Siete tratados*.

Otro escritor, **Jorge Icaza**, (1906-1978) también es famoso, en particular por su novela *Huasipungo* (1934), considerada como la obra ecuatoriana más famosa. Ha sido traducida a varios idiomas.

Actividades

1. Conteste las preguntas.

a. ¿Quién es Juan Montalvo?

....

....

b. ¿Quién es Jefferson Pérez?

....

....

c. *Entre Marx y una mujer desnuda es...*

☐ una novela.

☐ una película.

d. ¿Quién es Julio Jaramillo?

....

....

e. Además de Quito, ¿cuál es la ciudad ecuatoriana designada Patrimonio de la Humanidad por la Unesco? ¿Por qué?

....

....

f. ¿Qué es el chuchi pingullo?

....

....

2. Tache las palabras que no designan instrumentos de música.

BOMBO - ARROZ - CÓNDOR - QUICHUA - PINGULLO - PINGÜINO

3. Con las siguientes palabras, escriba una pequeña biografía de Oswaldo Guayasamín.

1919-1999 - CUBISMO - MOVIMIENTO - FAMOSO - POBREZA - POLÍTICO

Oswaldo Guayasamín nace ....

....

....

....

....

....

....

....

....

....

....

Las islas Galápagos

Fueron descubiertas por casualidad en 1535 por Fray Tomás de Berlanga. También se llaman **Archipiélago de Colón**. En 1978, fueron incluidas por la UNESCO en la lista del Patrimonio de la Humanidad. En 1986, el mar que las rodea fue declarado reserva marina. En 2007, la UNESCO las declaró Patrimonio de la Humanidad en riesgo medioambiental.

El archipiélago se encuentra a 1 000 km de Ecuador. Está compuesto por 13 islas principales (la más importante es la isla Isabela), 6 islas más pequeñas y numerosos islotes.

Un visitante muy famoso

En 1885, Charles Darwin permaneció cinco semanas en las islas Galápagos. Este lugar le inspiró en su teoría de la evolución de las especies.

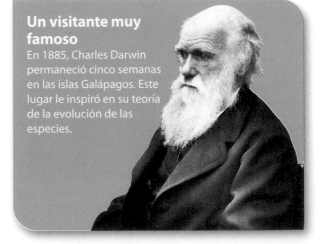

¿Qué se puede ver?

Las islas ofrecen muchas cosas interesantes que ver. Se puede admirar las iguanas marinas: las más grandes (pueden medir hasta 1,5 m) se encuentran en la isla Fernandina, y las que llevan los colores más llamativos en la isla Española. Son los únicos lagartos del mundo que se meten en el agua.

También vale la pena observar las aves marinas: rabihorcado, albatros, cormorán... o los pingüinos de las Galápagos que llegaron a las islas hace 4 millones de años.

El Parque Nacional de Cotopaxi

Tiene una extensión de 33 393 hectáreas y es un lugar ideal para practicar excursionismo y senderismo en un hábitat natural de cóndores, ciervos, zorros andinos y pumas.

Datos de interés sobre el volcán

Durante siglos, el Cotopaxi (que significa 'cono de luna') fue considerado por los quechuas un lugar sagrado.
Después de la conquista española, el volcán se activó varias veces: la erupción más fuerte tuvo lugar en 1872.

¿Qué hacer?

Dar la vuelta al Cotopaxi, con o sin guía. Esta excursión dura una semana. También se puede recorrer el camino que rodea la laguna de **Limpiopungo** (situada a 3 830 m). Esta excursión dura alrededor de una hora y media.

Otra visita: el Área Nacional de Recreación El Boliche

Se encuentra cerca del Parque Nacional de Cotopaxi y es un lugar muy agradable para realizar excursiones. Lo que le caracteriza es su hermoso bosque de pinos. Este lugar es una salida muy apreciada por los quiteños.

Actividades

1. Conteste las preguntas.

a. ¿A qué distancia de la costa continental ecuatoriana están las islas Galápagos?
....
....

b. Nombre dos islas importantes de las Galápagos.
....
....

c. ¿Quién descubrió las islas Galápagos?
....
....

d. En el siglo XIX, ¿qué personaje famoso visitó las islas?
....
....

2. En esta sopa de letras, busque cuatro nombres de animales de las islas Galápagos.

D	P	R	T	Y	G	F	A
D	I	X	C	V	B	G	L
F	N	A	R	T	R	T	B
F	G	D	S	D	F	R	A
G	U	T	Y	U	I	Y	T
H	I	G	U	A	N	A	R
F	N	H	J	K	I	U	O
T	O	R	T	U	G	A	S

3. ¿Verdadero o falso?   V   F

a. En el Parque Nacional de Cotopaxi se puede practicar submarinismo.   ☐   ☐

b. Allí viven cóndores.   ☐   ☐

c. La erupción más fuerte del Cotopaxi tuvo lugar en 1972.   ☐   ☐

d. El Boliche es un bosque de pinos.   ☐   ☐

GUATEMALA

HONDURAS

Santa Ana

San Salvador

San Miguel

La Libertad

OCÉANO PACÍFICO

El inmenso río **Lempa** separa el país en dos y baña sus fértiles tierras. Como otros países latinoamericanos, El Salvador tuvo colonización española y su población está formada por mestizos, indígenas y negros.

*" **Cucastlán** es el nombre originario en lengua náhuatl-pipil de la República de El Salvador. Significa "la tierra de las cosas preciosas". "*

Datos del país

Superficie: 21 041 km²

Población: 7 185 218 habitantes.

Capital: San Salvador.

Ciudades importantes: Santa Ana, San Miguel.

Moneda: Dólar (USS).

Forma de gobierno: República.

Indígenas y españoles

Durante la época colonial, los españoles daban trabajo a los indígenas para trabajar el añil (índigo), extraído de una planta llamada *xiquilite*. La toxicidad de este trabajo y las malas condiciones en las que se realizaba causaron una importante disminución de la población indígena.

Dolor y esperanza

Después de su independencia, El Salvador sufrió dictaduras aristocráticas y militares, muchas veces apoyadas por EE. UU., que terminaron en una guerra civil que duró 12 años (1980-1992). Se crea el **Frente Farabundo Martí de Liberación Nacional (FMLN)** y en los años 90 se logra un acuerdo con el gobierno, se pacifica el país y se concretan algunos beneficios para el pueblo. A causa de la represión y las masacres de los períodos dictatoriales, hubo miles de muertos y desaparecidos. Ahora, El Salvador busca esperanza.

Un hombre que luchó contra las injusticias

Óscar Romero, "Monseñor Romero" fue un sacerdote que denunció y luchó contra la injusticia y las violaciones de los Derechos Humanos en su país.
Fue asesinado el 24 de marzo de 1980 en una iglesia. En todo el país hay monumentos en su memoria.
Dijo: *"Si me matan, resucitaré en el pueblo salvadoreño".*

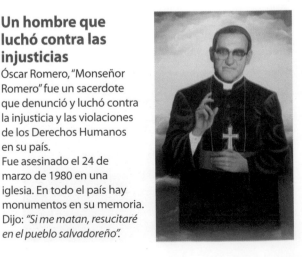

Las lagunas de El Salvador y sus leyendas

En El Salvador, la mayoría de las lagunas son cráteres de volcanes.
Hay muchas leyendas relacionadas con ellas.

Laguna de Alegría

Se encuentra en el departamento de Usulután. Su agua es de color verde. Los habitantes de la región cuentan que allí vive una sirena que captura a los jóvenes guapos y devuelve sus cuerpos sin vida dos días después.

Laguna de Aramuaca

Se encuentra en San Miguel.
Se cuenta que cerca de sus aguas se oyen ruidos de campanas de iglesia, cantos de gallo... lo que, según la gente, indica que hay una ciudad perdida bajo sus aguas.

Flor nacional, delicia asegurada

La yuca es la planta de la flor nacional del país llamada *izote*. Se fríe y se sirve con curtido (ensalada de col conservada en vinagre). A veces se acompaña con salsa de tomate, pepesquitas (sardinas fritas)... ¡Un manjar!

Las pupusas

Es uno de los platos típicos de El Salvador: una tortilla rellena de queso, pollo... ¡Una maravilla que se puede degustar en las **pupuserías** de todo el país!

El pulgarcito de América

Este es el apodo que dan a El Salvador por ser el país más pequeño de América. Pero los salvadoreños se ríen de sí mismos también porque dicen abusar de los diminutivos: cada uno tiene su carrito, su ropita, su casita y envía a los *cipotillos* (niños) a la escuelita.

Actividades

1. Conteste las preguntas.

a. ¿Cuál es el nombre originario de El Salvador y qué significa?

....

....

b. ¿Quién fue Óscar Romero?

....

....

c. ¿Cómo se llama el río que separa el país en dos?

....

....

2. Relacione.

a. índigo	**1.** laguna de Alegría
b. niño	**2.** añil
c. pupusa	**3.** tortilla
d. sirena	**4.** cipotillo
e. FMLN	**5.** guerrilla salvadoreña

3. Tache y corrija los errores.

a. La flor nacional de El Salvador es la rosa.

....

b. Se dice que un ogro se oculta en las aguas de la laguna de Aramuaca.

....

c. Las pupuserías son aves.

....

d. El Salvador tiene menos de 7 millones de habitantes.

....

4. ¿Verdadero o Falso?

	V	F
a. Los salvadoreños son llamados "pulgarcitos".	☐	☐
b. Las pepesquitas son alas de pavo asado.	☐	☐
c. La terminación típica del diminutivo es *-ote/-ota*.	☐	☐
d. Óscar Romero fue asesinado en 1980.	☐	☐
e. El curtido es una ensalada.	☐	☐
f. El diminutivo es un modo afectuoso y delicado de llamar a las cosas.	☐	☐
g. El trabajo con el añil causó la disminución de la población indígena de El Salvador.	☐	☐

Maestros del color

La **cueva del Espíritu Santo**, en Morazán, es una muestra de la pintura indígena primitiva. La imagen del **Cristo Crucificado de Metapán** es una pintura importante del arte religioso colonial. Temas de raíz salvadoreña como las razas o el campo aparecen con pintores como **Ortiz Villacorta**, **Valentín Estrada** o **Luis Espinoza** en el siglo XX. **Julia Ana Alcorta** tiene influencias del Artdecó, el muralismo mexicano o la pintura actual norteamericana, que ella mezcla con lo **autóctono**.

Para los aficionados al surf

Con 300 km de costas y magníficas olas, El Salvador es un lugar idóneo para practicar el surf. Muchos surfistas de todo el mundo conocen muy bien la playa de la Libertad.

Ritmos de El Salvador

La música popular salvadoreña es la cumbia, pero se bailan muchos otros ritmos, como salsa, chanchona, bachata...

El instrumento tradicional es la marimba.

El estilo de música andina también suena en actividades culturales y fiestas.

El Salvador tiene danzas muy divertidas, como la de los **Chapetones,** que ridiculiza la ropa y los modales de las damas y caballeros de la colonia española.

Escritores de ayer

En la época colonial, el poeta **Juan de Mestanza**, originario de Andalucía, pero habitante de El Salvador, fue muy elogiado por Cervantes, autor de *El Quijote,* en sus obras *La Galatea* y *Viaje del Parnaso.*

El modernista **Francisco Gavidia** (1864-1955) es recordado como el amigo que hizo descubrir a Rubén Darío el verso alejandrino francés y sus posibilidades de renovar la musicalidad del español poético.

Escritores de hoy

En el siglo XX, con autores como **Alfredo Espino** o **Arturo Ambrogi,** el tema de las novelas es de tipo regionalista y naturalista; también se dirigen hacia la denuncia social. Para promover a jóvenes autores, el Estado ha creado recientemente la Casa del Escritor.

Desde la capital

Desde la ciudad de San Salvador se pueden realizar excursiones como la ruta del café o la **ruta de las flores**.

Los pueblos coloniales son famosos por la excelente artesanía local: tejidos típicos de **fibra de tule** o hilo... Vale la pena ver el precioso lago Coatepeque, en el cráter del volcán Santa Ana.

Las "sorpresas" de Ilobasco

Ilobasco es un pueblo famoso por su artesanía de barro. Muchos turistas van allí para ver la elaboración de los objetos y admirar las "sorpresas", pequeñas piezas que, en su interior, tienen personajes que representan escenas de la vida cotidiana.

Lo que dejaron los mayas

Los mayas dejaron en El Salvador numerosos sitios arqueológicos donde apreciar pirámides, templos u observatorios astronómicos.

Tazumal conserva grandes estructuras mayas que permiten entender la vida de estos antiguos pobladores. **Joya de Cerén,** considerado como la Pompeya de América por haber sido tapado por cenizas de una erupción volcánica durante siglos, es digno de visitar. También debemos mencionar el **sitio de San Andrés** y **Casablanca,** donde hay un museo con cuatro enormes piedras talladas.

Actividades

1. Elija la opción correcta.

a. Ilobasco es famoso por...

☐ sus templos mayas.

☐ su artesanía.

☐ su festival de música.

b. El ritmo representativo de El Salvador es...

☐ el reguetón.

☐ la marimba.

☐ la cumbia.

c. Hay una interesante muestra de pintura indígena en...

☐ Metapán.

☐ Morazán.

☐ Sitio de San Andrés.

d. Llaman la "Pompeya de América" a...

☐ Tazumal.

☐ Casablanca.

☐ Joya de Cerén.

2. En esta sopa de letras, encuentre los nombres de cuatro ritmos o danzas de El Salvador.

O	R	C	R	E	W	Q	A	S	C
F	G	U	J	H	G	G	F	D	H
T	D	M	K	L	Ñ	M	N	B	A
O	D	B	S	Z	X	C	B	V	N
P	G	I	D	F	G	H	Y	J	C
P	H	A	D	R	T	Y	U	J	H
Ñ	J	L	D	F	G	F	D	F	O
L	J	K	F	S	D	D	F	G	N
K	K	J	Y	E	S	A	L	S	A
C	H	A	P	E	T	O	N	E	S

3. Complete los textos con las siguientes palabras:

MURALES - ESCRITORES - SURF - PIRÁMIDES

a. Los _____ de Julia Ana Alcorta combinan la tradición mexicana, la pintura actual norteamericana y los elementos salvadoreños autóctonos.

b. La playa de la Libertad es ideal para practicar el _____.

c. El Salvador tiene _____ importantes, como Francisco Gavidia y Alfredo Espino, entre otros.

d. Los mayas dejaron en El Salvador sorprendentes muestras de su cultura, como observatorios astronómicos, templos y _____.

Santander
Santiago de Compostela
Bilbao
Pamplona
FRANCIA
Salamanca
Barcelona
Madrid
Palma de Mallorca
Toledo
Valencia
PORTUGAL
OCÉANO ATLÁNTICO
Sevilla
Granada
Málaga
Mar Mediterráneo
Ceuta (Esp)
Melilla (Esp)
ARGELIA
MARRUECOS

Santa Cruz de Tenerife
Las Palmas

Un poco de historia

La península ibérica está habitada desde hace más de medio millón de años. Del siglo I al V la península se convierte en **Hispania**, una de las provincias más importantes del Imperio Romano. Después de otras invasiones, en 711 llegan los árabes desde África. La zona invadida se llama entonces **Al-Andalus**. Para recuperar los territorios en poder de los **musulmanes**, los reinos cristianos inician la Reconquista, una lucha que dura del año 722 a 1492. En 1492, los Reyes Católicos completan la unidad de España y pagan el viaje de Colón a América. En el siglo XVI, los reyes Carlos I y Felipe II crean un gran imperio en todo el mundo.

Datos del país

Superficie: 504 782 km²

Población: 46 661 950 habitantes.

Capital: Madrid.

Ciudades importantes: Barcelona, Valencia, Sevilla, Málaga, Bilbao.

Moneda: Euro (EUR).

Forma de gobierno: Monarquía parlamentaria.

> **Según los historiadores romanos, España se parece a una "piel de toro" extendida.**

La monarquía parlamentaria

Es el sistema de gobierno de España, establecido por la Constitución de 1978. El Rey es el jefe del Estado y el máximo representante del país en el extranjero. El Presidente es el jefe del Gobierno y se elige por un período de cuatro años. El poder legislativo lo tiene el Parlamento, formado por el Senado y el Congreso.

Siglo XX

Entre 1936 y 1939 hubo una Guerra Civil. El general **Francisco Franco** gobernó como dictador hasta 1975. Después de su muerte, el rey **Juan Carlos I** fue proclamado Rey de España. España es miembro de la Unión Europea desde el 1 de enero de 1986.

España es el país más montañoso de Europa después de Suiza. En la costa, que tiene más de 4 000 km, hay playas de gran belleza que están agrupadas bajo nombres conocidos internacionalmente, como **Costa Brava, Costa Dorada, Costa del Azahar, Costa del Sol** o **Costa de la Luz**. Las islas Baleares y las islas Canarias también forman parte de España; las islas Canarias están en el océano Atlántico, a unos 1 000 km al suroeste de la península.

El clima

En el norte, la España húmeda o España verde, llueve abundantemente. El resto es la España seca, con pocas lluvias y veranos muy calurosos junto a inviernos fríos en la meseta y suaves en la costa.

Las Comunidades Autónomas

La Constitución de 1978 dice que España es "la patria común e indivisible de todos los españoles", pero reconoce el derecho de autonomía para las 17 regiones que integran el país.

El español o castellano es la lengua oficial de España, pero se reconoce la existencia de otras lenguas que son también oficiales en las comunidades donde se habla esa lengua: el **gallego** en Galicia, el **catalán** en Cataluña y el *euskera* o **vasco** en el País Vasco.

Una universidad de prestigio

La Universidad de Salamanca, fundada en 1218, es la más antigua de España y es conocida en el mundo entero.

Los castillos

Cuando los cristianos avanzan de norte a sur durante la Reconquista, construyen castillos y fortalezas. En un castillo hay dos elementos clave: la **muralla** y la **torre del homenaje**, que es la torre principal.

Actividades

1. Tache lo que no es verdad.

a. España a lo largo de la historia se ha llamado:

Hispania - Galicia - La Mancha - Al-Andalus - España

b. La población española es de unos:

16 millones - 47 millones - 60 millones - 30 millones

2. Conteste las preguntas.

a. ¿Cuál es la lengua oficial de España?

....
....

b. ¿Hay otras lenguas en España? ¿Cuáles? ¿Son lenguas oficiales?

....
....

c. ¿Cuáles son los dos elementos clave en un castillo?

....
....

d. ¿Cómo son los inviernos de España?

....
....

e. ¿Dónde se encuentra la universidad más antigua de España?

....
....

3. ¿Verdadero o falso?

	V	F
a. España está más cerca de África que de Alemania.	☐	☐
b. España no reconoce la autonomía de las 17 regiones que la integran.	☐	☐
c. Hay playas hermosas en la Costa Brava.	☐	☐
d. España no es miembro de la Unión Europea.	☐	☐
e. España tiene un Rey.	☐	☐
f. España tiene un Parlamento.	☐	☐
g. España tiene un Presidente de la República.	☐	☐
h. España tiene un Rey y un Parlamento.	☐	☐

Una vida muy activa

El español es el europeo que menos duerme. Se levanta antes de las 8, desayuna un café y sale al trabajo. Empieza a trabajar a las 9. Entre las 10 y las 11 toma un bocadillo, con un café o una bebida. Entre las 2 y las 4 de la tarde es la hora del almuerzo, que suele ser abundante, caliente, con dos platos y postre. Se sale de trabajar a las 7 de la tarde y la cena es a las 10 de la noche. Después, los españoles ven la tele y se acuestan cerca de las 12.

¿Cómo te llamas?

Los nombres españoles suelen ser del santoral (el calendario religioso de los católicos). En las comunidades con lengua propia se suelen poner nombres en esas lenguas: Brais o Antía en Galicia, Itziar o Patxi en el País Vasco, Lluc o Neus en Cataluña. Los españoles tienen dos apellidos: normalmente el primer apellido del padre y el segundo de la madre, pero los padres eligen el orden. La mujer casada conserva en España sus apellidos de soltera, que no cambian nunca a lo largo de su vida.

¿Cuántos años tienes?

Como en España nacen pocos niños y los mayores viven cada vez más, la población envejece: un 20% tiene más de 65 años y solo un 15% tiene menos de 15. Este hecho está cambiando gracias a la inmigración.

¿Cuál es el origen de algunas palabras españolas?

Palabras como *aceite, aceituna, naranja, limón* o *alcalde,* entre otras, tienen origen árabe, por la historia del país.

¿Dónde vives?

La población se concentra más en las ciudades que en el campo, y las zonas más habitadas son las costas y Madrid. A los españoles les gusta su forma de vida, cerca de su familia y sus amigos, y buscan el trabajo en su ciudad. Los jóvenes suelen vivir en casa de sus padres hasta que se independizan, generalmente con más de 30 años.

ESPAÑA

LIBRO DE FAMILIA

Matrimonio religioso y matrimonio civil

La Iglesia solo admite el matrimonio religioso entre parejas de distinto sexo. El matrimonio civil puede unir a parejas de sexo distinto o del mismo sexo, por una ley de 2005.

Aficiones

Los españoles siguen los deportes por televisión, en especial el fútbol. Hay dos grandes competiciones nacionales: el **Campeonato de Liga** y la **Copa del Rey**. Muchos deportistas españoles son conocidos internacionalmente: Pedrosa y Lorenzo en motociclismo, Fernando Alonso, dos veces campeón del mundo en Fórmula 1, Rafa Nadal en tenis o Pau Gasol en baloncesto.

Los Toros son la Fiesta Nacional. Hay corridas de toros en la mayoría de las fiestas de muchos pueblos y ciudades.

¿Qué comemos?

En general se sigue la "dieta mediterránea": es una alimentación equilibrada basada en un consumo abundante de legumbres, cereales, frutas y verduras. Se come más pescado y aves que carne roja y se cocina con aceite de oliva.

Platos famosos

El plato más famoso de España es, sin duda, la **paella**. Su nombre viene de la fuente donde se prepara: la **paella**. La paella puede ser de pescado y marisco, de carne o mixta.
La **tortilla** española, a base de huevos, patatas y cebolla, es otro plato delicioso.

De marcha

Los viernes y sábados por la noche los jóvenes "van de marcha". Muchos jóvenes duermen poco los fines de semana, van de un local a otro hasta la madrugada.

Actividades

1. Explique la frase "El español es el europeo que menos duerme".

....

....

....

....

....

2. Subraye la/s respuesta/s correcta/s.

a. ¿Cuál es la comida principal en España?
el desayuno - el almuerzo - la merienda - la cena

b. Si un español te invita a salir "de marcha", quiere:
caminar por la ciudad – subir una montaña
salir de noche – ir a ver un desfile militar

c. En España se pueden casar:
Javier y María por la iglesia - Inés y Ana por el juzgado -
Antonio y Luis por la iglesia -
Carlos y Mercedes por el juzgado

3. Conteste las preguntas.

a. Carmen García Fernández se casa con José Pérez López. ¿Cuáles van a ser los apellidos de sus hijos?
....

b. Estamos en España y son las tres de la tarde, ¿nos darán de comer en algún restaurante? ¿Ocurre lo mismo en tu país?
....
....

c. ¿Qué es la Copa del Rey?
....

d. ¿Qué se come más en España: carne de vaca o pescado?
....

e. Dé el nombre de un plato típico español.
....

f. ¿De dónde viene la palabra *limón*? Cite otra palabra con el mismo origen.
....

4. ¿Verdadero o falso?   V | F

a. El deporte nacional es el baloncesto.   ☐ | ☐

b. Los españoles se independizan muy jóvenes.   ☐ | ☐

c. Los españoles salen a divertirse por la noche.   ☐ | ☐

d. En la dieta mediterránea se usa mantequilla
para freír.   ☐ | ☐

España es un país de fiestas. Hay más de 200 fiestas consideradas de interés turístico nacional o internacional. Las fiestas nacionales celebran algún acontecimiento histórico o religioso para todo el país. También están las fiestas de cada comunidad autónoma y las fiestas locales, en las que una ciudad o pueblo celebra su día festivo.

Las fiestas en las Comunidades Autónomas

Los Sanfermines

Se celebran en Pamplona, capital de la Comunidad de Navarra. Durante esos días hay encierros a las 8 de la mañana: los jóvenes corren delante de los toros, que recorren unos 800 metros por las calles de la ciudad en dos o tres minutos. Los participantes en los **encierros** son voluntarios.

Las Fallas de Valencia

Las fallas son figuras de madera y cartón que satirizan temas y personajes de actualidad. Se exponen en las plazas durante una semana. Las fiestas terminan con la **cremà**, la quema de todas las fallas excepto una, y un gran castillo de fuegos artificiales en la noche del 19 de marzo. Es la llamada **Nit del Foc** (Noche del Fuego).

La Feria de abril de Sevilla

Comienza un lunes a finales de abril. En esta fiesta hay paseos a caballo, la gente lleva los trajes tradicionales, baila **sevillanas** en las famosas casetas y toma manzanilla (vino blanco andaluz). Termina el domingo siguiente con fuegos artificiales.

Una costumbre graciosa

En las fiestas de cumpleaños, es costumbre tirar de las orejas al festejado, un tirón por cada año que cumple.

Doce uvas en Nochevieja

Despedir el año viejo y recibir el año nuevo comiendo doce uvas es una antigua costumbre en España. En Madrid, todos los 31 de diciembre por la noche, hay una gran fiesta popular en la **Puerta del Sol** para tomar las doce uvas al ritmo de las campanadas del reloj de la plaza.

Las celebraciones más tradicionales

La **Semana Santa** se celebra en primavera. Es una fiesta religiosa donde destacan las procesiones. Los miembros de los grupos llamados **cofradías** acompañan por las calles de las ciudades a un grupo escultórico llamado **paso**, que representa alguna escena de la pasión de Cristo. Durante la procesión, hay personas que cantan **saetas**, cantos flamencos dirigidos a la Virgen o a Cristo. Las procesiones más famosas son las de Andalucía.

Las Navidades empiezan en España el 22 de diciembre con el sorteo de la Lotería y acaban el 6 de enero, día de los **Reyes Magos**, que dan los regalos a los niños.

Actividades

1. ¿Verdadero o falso?

	V	F
a. Todas las fiestas españolas son religiosas.	☐	☐
b. En España los regalos de Navidad los traen los Reyes Magos.	☐	☐
c. El 19 de marzo, en Valencia, se queman todas la fallas.	☐	☐
d. La Puerta del Sol es una fiesta popular de Madrid.	☐	☐

2. Escriba una carta a un amigo o amiga para invitarlo/a a una fiesta en España (las Fallas de Valencia, los Sanfermines de Pamplona o la Feria de Sevilla).

..............., ... de .... de 20....

Querido/a ....,

Estoy estudiando en España y en el mes de ....
es/son .... (nombre de la fiesta).

Me encantaría estar contigo para ....
....
....
....
....
....
....
....
....

(describir el interés de la fiesta, para convencerlo)

Si puedes venir, contéstame pronto para hacer las reservas.

Un abrazo

....

(su nombre)

3. ¿Qué costumbre hay en España cuando es el cumpleaños de alguien?

....

4. Elija la opción correcta.

Para empezar el año con suerte, los españoles...

☐ saltan en una hoguera.

☐ comen 12 uvas.

☐ se bañan en la fuente de La Cibeles.

☐ compran lotería.

Miguel de Cervantes (1547-1616)

Es el autor español más internacional. Se le considera el creador de la novela moderna. En 1605 publicó *El ingenioso hidalgo Don Quijote de la Mancha,* un libro de aventuras, escrito con mucho humor, donde se enfrentan el idealismo del caballero Don Quijote y el realismo de Sancho Panza. Existen versiones en cine, como *The man of la Mancha,* con Sofía Loren, en ballet, bailado por Rudolf Nureyev, y en series de televisión, como los dibujos animados japoneses Zukkoke Knight.

Otros autores

Otros maestros de la literatura española son: **Tirso de Molina** (1584-1648), creador del mito de Don Juan; el poeta y dramaturgo **Federico García Lorca** (1899-1936) y el Nobel de Literatura de 1989, **Camilo José Cela,** entre muchos otros.

¡Olé, olé!

El flamenco representa la cultura española en todo el mundo. Es un arte popular que desarrollan sobre todo los gitanos andaluces. Lo más conocido son los bailes (sevillanas, fandangos, alegrías…) y el cante jondo, acompañados por la guitarra y las palmas. Actualmente hay una renovación del flamenco con influencias de otras músicas como el jazz o el rock. La palabra *¡olé!,* de origen árabe, sirve para animar o felicitar a los artistas y deportistas, y se usa con mucha frecuencia en el flamenco.

Cine

Desde los años ochenta, el director más conocido del cine español es **Pedro Almodóvar** *(Mujeres al borde de un ataque de nervios, Todo sobre mi madre, Volver…).* Ha conseguido varios Óscar. Otro director con un Óscar es **Alejandro Amenábar** *(Tesis, Mar adentro…).* Los actores españoles **Antonio Banderas**, **Javier Bardem** y **Penélope Cruz** tienen fama internacional.

Música

En España hay grandes cantantes de ópera como Plácido Domingo, José Carreras y Montserrat Caballé. Entre los intérpretes de música española actual algunos son conocidos internacionalmente: **Alejandro Sanz**, **Estopa**, **David Bisbal** o **Rosario**.

Pintura

Las muestras más antiguas del arte prehistórico español tienen más de 15 000 años: son las pinturas rupestres de las **cuevas de Altamira** en Cantabria. En el siglo XVI el pintor más importante es el **Greco**, con sus características figuras alargadas. El siglo XVII es conocido como el Siglo de Oro de la pintura española por sus pintores excepcionales, sobre todo **Diego Velázquez**. **Goya**, el creador de la pintura moderna, es la figura de transición entre los siglos XVIII y XIX. En el siglo XX tienen fama internacional **Pablo Picasso** y **Juan Gris** (cubistas), **Joan Miró** y **Salvador Dalí**.

Los puentes de Santiago Calatrava

Uno de los arquitectos contemporáneos más reconocidos es **Santiago Calatrava**, famoso por sus puentes, que parecen colgados y sorprenden por su ligereza. Se les da nombres como "el arpa" o "la peineta". Tiene puentes por todo el mundo: California, Atenas, Jerusalén, Venecia, Buenos Aires... En España destacan los de Valencia, Bilbao y Sevilla.

Actividades

1. Complete el texto siguiente con estas palabras:

DON QUIJOTE DE LA MANCHA - REALISMO
MIGUEL DE CERVANTES - IDEALISMO

El escritor _____ es el autor de la novela _____. Sus personajes principales son Don Quijote, que representa el _____ , y Sancho Panza, que representa el _____.

2. Relacione.

a. Almodóvar	**1.** música
b. Alegrías	**2.** cantante de ópera
c. José Carreras	**3.** actor
d. Javier Bardem	**4.** director de cine
e. David Bisbal	**5.** baile

3. Los pintores españoles de los siglos XVI al XX son excepcionales. Busque en la siguiente sopa de letras los nombres de seis de ellos.

P	I	C	A	S	S	O	U	Y	I
D	Y	O	D	S	J	K	K	U	J
A	T	R	L	K	S	L	K	L	H
L	R	I	Y	Ñ	E	K	J	U	G
I	E	M	T	L	S	J	K	Y	J
Q	W	E	Y	K	G	F	G	U	H
A	E	L	G	R	E	C	O	Y	G
S	D	X	C	S	Z	G	Y	H	F
D	W	X	Z	A	X	H	A	G	D
F	V	E	L	A	Z	Q	U	E	Z

4. Ordene las palabras para encontrar los nombres de cuatro ciudades donde existen puentes de Calatrava.

a. ADKGUIA: ....

b. ENVCIAE: ....

c. DLWPOA: ....

d. SVEIALL: ....

e. PORENTIA: ....

f. OABLIB: ....

g. ASANET: ....

¿Dónde alojarse en España?

Hay muchas posibilidades: pensiones, hostales, casas rurales, hoteles... Pero sin duda, los **paradores de turismo** son una experiencia única. Se trata de hoteles instalados en lugares excepcionales y en edificios históricos: castillos, palacios, monasterios... Muchos están en ciudades declaradas Patrimonio de la Humanidad por la UNESCO.

Lo más nuevo: una ruta del vino

España posee la superficie de viñedos más extensa del mundo y el vino español tiene renombre internacional: **Rioja**, **Ribera del Duero**, **Jerez** o **Ribeiro** entre otros.

Las rutas del vino nos descubren hermosos paisajes y monumentos extraordinarios. Hay museos, visitas guiadas y catas. El vino es el auténtico protagonista. Algunas bodegas son edificios creados por los arquitectos más importantes del mundo: Santiago Calatrava, Moneo o Frank Gehry.

La bodega del Marqués de Riscal, en El Ciego, pequeño pueblo de la Rioja Alavesa, tiene un hotel diseñado por el famoso Frank Gehry, autor del Museo Guggenheim de Bilbao.

Por las tierras del Quijote

La Mancha, nombre que en árabe significa "tierra seca", es el escenario de las aventuras del caballero Don Quijote. Es una tierra de contrastes, de paisajes secos cubiertos de viñas y de grandes lagunas. Se puede iniciar el recorrido en el **Parque Nacional de las Tablas de Daimiel**, una importante reserva de aves. Entre molinos de viento y castillos se llega a **Campo de Criptana**, donde se visita un molino, como el de los "gigantes" del Quijote. Se continúa hasta **El Toboso**, de donde es originaria Dulcinea. En **Argamasilla de Alba**, se baja a la cueva de Medrano, donde se dice que Cervantes empezó a escribir su famosa novela. El recorrido sigue hacia el **Parque Nacional de las Lagunas de Ruidera** y la **Cueva de Montesinos**. Se puede acabar la ruta en **Almagro** y admirar su Plaza Mayor.

Madrid: la "milla de oro"

Acompañados por el buen tiempo, el recorrido por la "milla de oro" de la cultura es excepcional. **El Museo del Prado** es la mejor pinacoteca del mundo de pintura española. En el **Museo Nacional Centro de Arte Reina Sofía**, de pintura contemporánea, se expone el famoso *Guernica* de Picasso. También se puede visitar el **Museo Thyssen-Bornemisza** y el nuevo **Caixa-Forum**, que recibe al visitante con un muro-jardín vertical.

Desde Madrid se puede visitar alguna ciudad de la región, todas ellas Patrimonio de la Humanidad: **San Lorenzo del Escorial**, con el gran palacio-monasterio de Felipe II; **Aranjuez**, con los hermosos jardines del Palacio Real, que inspiraron el *Concierto de Aranjuez* de Joaquín Rodrigo, o **Alcalá de Henares**, donde nació Cervantes.

Barcelona: lo más bello del modernismo europeo

En el corazón de Barcelona se encuentran algunas de las maravillosas obras del arquitecto catalán Antoni Gaudí (1852-1926): La Pedrera, la casa Batlló y la Sagrada Familia, donde está enterrado el artista.

Actividades

1. Conteste las preguntas con:

PARADOR DE TURISMO – EL CIEGO
LA MANCHA - MADRID

a. ¿Dónde puede ver el *Guernica* de Picasso?

....

b. ¿Dónde puede pedir un vino excelente?

....

c. ¿Dónde puede dormir y sentirse como un rey?

....

d. ¿Dónde puede ver los paisajes que inspiraron a Miguel de Cervantes?

....

2. ¿Verdadero o falso?

	V	F
a. Gaudí es un famoso pintor catalán.	☐	☐
b. En España hay muy poca superficie de viñedos.	☐	☐
c. Rioja es una región y un vino español.	☐	☐
d. Los paradores de turismo son hoteles baratos.	☐	☐
e. El Museo Thyssen-Bornemisza está en Bilbao.	☐	☐

3. Tache lo que NO va a encontrar en un viaje por La Mancha.

LAGUNAS - GIGANTES - MOLINOS DE VIENTO
CUEVAS - DON QUIJOTE - CASTILLOS
DULCINEA - LA NOVIA DE DON QUIJOTE
VIÑEDOS

4. Una la primera columna con la expresión que le corresponde de la segunda.

1. En Barcelona se encuentra…   **a.** Barcelona.
2. El Museo del Prado es…   **b.** una obra musical.
3. Hay un jardín que sube por un muro en…   **c.** Alcalá de Henares.
4. La casa Batlló está en…   **d.** el Caixa-Forum.
5. Cervantes nació en…   **e.** lo más bello del modernismo europeo.
6. Los jardines de Aranjuez inspiraron…   **f.** la mejor pinacoteca del mundo de pintura española.

MÉXICO

BELICE

HONDURAS

Chichicastenango

Quetzaltenango • • Guatemala

Antigua • ▣

Escuintla

OCÉANO PACÍFICO

EL SALVADOR

Un poco de historia

Durante la colonización española, la ciudad de **Antigua** fue la tercera en importancia, después de México y Lima. Principalmente comerciaba con cacao, azúcar y añil. En 1821, Guatemala se independiza de España y se une a México. Luego, con otras naciones de la región, forma la **República de Centroamérica**. En 1847 se separa de las demás. Cada 15 de septiembre, Guatemala festeja su **Día de la Independencia**.

La historia del siglo XX es muy violenta, con períodos democráticos interrumpidos por golpes de estado y guerras civiles. En los años 90 se establece una república democrática constitucional.

Datos del país

Superficie: 108 890 km^2

Población: 13 276 517 habitantes.

Capital: Guatemala.

Ciudades importantes: Quetzaltenango, Escuintla, Antigua, Chichicastenango.

Moneda: Quetzal (GTQ).

Forma de gobierno: República democrática constitucional.

> **La palabra Guatemala viene de la palabra náhuatl *cuauhtlamallan*, que significa 'bosque'.**

El quetzal

Este pájaro, que era símbolo de libertad para los mayas, representa a Guatemala. Da su nombre a la moneda del país.

Día de mercado

Generalmente el martes es el día de mercado. En **Chichicastenango,** también los jueves y domingos. El mercado tiene tradición indígena. Muchas mujeres indígenas venden allí sus tejidos de muchos colores directamente en las aceras y llevan sus bellos **huipiles**, hechos a mano y adornados con dibujos de la naturaleza: flores, animales...

Son típicos los productos comestibles, las máscaras de madera y los dulces de **mazapán** con figuras humanas.

Guatemaltecos

La mayor parte de la población de Guatemala es de origen indígena –especialmente maya–, pero también hay mestizos o ladinos, un 10% de blancos y afros. En las zonas rurales las familias son grandes y varias generaciones viven en la misma casa. Los ladinos viven una vida más occidental. Los indígenas conservan sus costumbres. Casi un 12% de la población vive en el extranjero, principalmente en Estados Unidos, y el dinero que envían a sus familias en Guatemala es actualmente uno de los principales ingresos económicos del país.

Celebraciones

En Guatemala, tradiciones mayas y cristianas aparecen en muchas fiestas, como las **Fiestas de Máscaras** de **Chichicastenango**. En **Semana Santa**, las procesiones van sobre largas alfombras de flores, frutos y plumas preciosas de aves; están hechas a mano y recuerdan el camino que pisaban los señores mayas.

El 1 de noviembre, **Día de Todos los Santos**, hay que ver el **Festival de Barriletes Gigantes** en Sumpango.

Los guatemaltecos festejan la Navidad con verdadero fervor. El 7 de diciembre hacen una **Quema del Diablo** simbólica para limpiar el mal de sus casas. El **24 de diciembre** comen tamales (masa de maíz rellena de carne o frutas) y beben ponche de frutas esperando la medianoche.

Suena la marimba

No se sabe bien de qué continente viene, pero Guatemala la adopta como propia. La marimba es un instrumento parecido al xilofón, y se toca con palillos. Es amiga de todos los ritmos y se toca en todas las regiones y circunstancias.

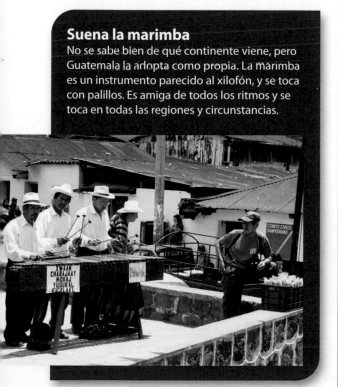

Actividades

1. ¿Verdadero o falso?

	V	F
a. Por las alfombras guatemaltecas solo pueden caminar autoridades religiosas.	☐	☐
b. Los huipiles son platos típicos del país.	☐	☐
c. La moneda de Guatemala lleva el nombre de un pájaro.	☐	☐
d. En Guatemala, el siglo XX se caracteriza por la estabilidad social y política.	☐	☐
e. La Quema del Diablo se hace el 7 de diciembre.	☐	☐
f. Los tamales suelen comerse el 24 de diciembre.	☐	☐

2. Complete con las palabras adecuadas.

a. La _____ es un instrumento musical muy popular en Guatemala. Con ella tocan toda clase de _____ . Se parece a un _____.

b. Los huipiles, hechos a _____, están adornados con dibujos inspirados de la _____: flores, animales.

c. La mayor parte de la _____ de Guatemala es de origen _____, sobre todo _____.

d. Las _____ de flores, frutos y _____ imitan el camino que pisaban los _____ mayas.

3. Relacione.

a. marimba	**1.** envían dinero
b. tamales	**2.** ladinos
c. mestizos	**3.** instrumento de música
d. emigrados	**4.** septiembre
e. martes	**5.** mercado
f. independencia	**6.** masa de maíz rellena

4. Conteste las preguntas.

a. ¿Por qué es importante la ciudad de Antigua durante la época colonial?

....

....

b. Cite dos celebraciones importantes en Guatemala.

....

....

Miguel Ángel Asturias, PREMIO Nobel de Literatura 1967

Este magnífico escritor ha escrito libros maravillosos. En *El Señor Presidente, Leyendas de Guatemala* u *Hombres de maíz* evoca los mitos de su tierra desde el conocimiento universal. Preocupado por la condición social de los indígenas y orgulloso de su herencia cultural, llama *Hombres de maíz* a una de sus novelas más famosas porque el *Popol Vuh,* cuenta que los antiguos dioses buscaron la perfección de los hombres haciéndolos de maíz.

Augusto Monterroso

Obtiene el Premio Príncipe de Asturias en el año 2000. Este autor, irónico, humorístico e inteligente, deja relatos geniales, como *Mister Taylor*, alegoría sobre la historia de las relaciones entre los países latinoamericanos y el imperialismo norteamericano.

LA SABIDURÍA ANTIGUA

Dos textos sagrados de los mayas sobrevivieron en lengua quiché:

Popol-Vuh (Libro del Consejo). Describe la creación del mundo, los mitos y parte de la historia del pueblo maya. A principios del siglo XVIII, el sacerdote español Fray Francisco Ximénez lo tradujo al español.

Rabinal Achí sobrevive hasta la actualidad en forma oral y clandestina. (La UNESCO lo ha declarado Obra Maestra de la Tradición Oral). Todavía hoy hay personas mayores capaces de recitarlo de memoria. Incluye poesía, danzas, representación teatral y música.

Rigoberta Menchú, Premio Nobel de la Paz 1992

Esta líder indígena, defensora de los derechos humanos, embajadora de la UNESCO y **Premio Nobel de la Paz**, conoce desde niña la discriminación, el abuso sufrido por los indígenas y los campesinos pobres, la desigualdad y la injusticia. Conoce la persecución política y el exilio, el dolor por el asesinato de su familia; pero también conoce la esperanza de que el mundo escucha su mensaje.

La presencia maya

Entre sus selvas y montañas, Guatemala tiene cerca de 2 000 sitios arqueológicos. **Tikal**, con sus espléndidas pirámides y su antigüedad de miles de años, es el más importante. Sus glifos o letras escritas en la piedra son arte y escritura a la vez.

Antigua Guatemala

Fundada en 1543, casi fue destruida por un terremoto en 1773. Sin embargo, aún se pueden admirar magníficos ejemplos de su arquitectura colonial: iglesias, conventos...

El país de la eterna primavera...

...es otro de los nombres que tiene Guatemala, por su clima templado en el altiplano y sus costas cálidas.

Por los bosques guatemaltecos, llenos de flores exóticas, hay pumas, jaguares, coatíes (también llamados gatos solos)... De mayo a octubre es posible escalar los volcanes que rodean el **lago Atilán**, practicar espeleología en **Verapaces** y **Petén** o hacer *rafting* en los ríos. En Guatemala existen lagunas con aguas de color esmeralda, como la **laguna de Ipala**, y cataratas de aguas termales en el **lago Amatitlán**. Los amantes del mar pueden encontrar playas de arena negra volcánica en la **costa del Pacífico**. En el **Caribe**, con playas de arena blanca y agua cálida, se practica el submarinismo.

Actividades

1. Elija la opción correcta.

a. ¿Qué libro habla de la creación del mundo según la cultura maya?

☐ *Hombres de maíz.*

☐ *Mister Taylor.*

☐ *Popol Vuh.*

b. ¿Cuál es el cultivo tradicional de los mayas?

☐ Maíz.

☐ Patata.

☐ Trigo.

c. Guatemala tiene dos Premios Nobel, ¿quiénes los obtuvieron?

☐ Monterroso y Menchú.

☐ Menchú y Asturias.

☐ Monterroso y Asturias.

2. Ordene estas palabras desordenadas y encuentre nombres de animales de la selva guatemalteca.

a. GRAAUJ: _____

b. TAÍOC: _____

c. UPAM: _____ _____

3. Conteste las preguntas.

a. ¿Quién es el autor de *Hombres de maíz*?

....
....

b. ¿Qué monumentos se pueden admirar en Tikal?

....
....

c. ¿Qué provocó la "casi" destruccción de Antigua Guatemala?

....
....

d. ¿En Guatemala, dónde se puede practicar espeleología?

....
....

e. ¿Qué lugares de Guatemala le gustaría conocer y por qué?

....
....

Malabo

· Luba

OCÉANO ATLÁNTICO

Golfo de Guinea

CAMERÚN

Ebebiyín

Bata

Mongomo

Evinayong

· Palé

> **Es el único país de África de habla española.**

Guinea Ecuatorial tiene una región continental y otra insular formada por varias islas, entre ellas Bioko, Annabón, Corisco... El clima es ecuatorial. La región continental cuenta con dos estaciones secas y dos de lluvias. La isla de Bioko se caracteriza por un clima ecuatorial con dos estaciones. La temperatura media anual en el país es de 25º C.

La isla de Corisco o Mandji está considerada como una de las más bonitas de África occidental.

GABÓN

Datos del país

Superficie: 28 051 km²

Población: 633 441 habitantes.

Capital: Malabo.

Ciudades importantes: Bata, Ebebiyín, Mongomo, Evinayong, Luba.

Moneda: Franco CFA (XAF).

Forma de gobierno: República.

Un poco de historia

Durante el siglo XV, la zona continental actual de Guinea y la isla de Bioko son colonizadas por los portugueses, que desarrollan un importante mercado de esclavos.
En 1778, el territorio se cede a los españoles. El protectorado de España dura hasta 1959, cuando se crea un autogobierno interno.
En 1968, España concede la independencia a Guinea Ecuatorial y se celebran las primeras elecciones.

Economía

Guinea Ecuatorial produce maderas nobles, café, plátanos, cacao, frutas tropicales. También tiene minerales, en particular metales preciosos. Su principal riqueza es el petróleo, descubierto durante la década de los 90. La renta *per capita* es la segunda más elevada del mundo; sin embargo, la mayoría de la población es muy pobre y la esperanza de vida es de 43 años.

Naturaleza

Guinea Ecuatorial es uno de los países con mayor biodiversidad de África. Tiene una flora y una fauna excepcionales. Más del 45% del territorio es forestal. En cuanto a la fauna, existen 11 especies de **monos**, leopardos, elefantes... Reptiles y anfibios presentan numerosas especies. Cuatro tipos de tortugas marinas se ven en la costa.

La gente

La mayoría de la población de Guinea Ecuatorial es de raza negra: la tribu más importante es la **Fang**, que representa un 80% de la población. Otros grupos étnicos importantes son los **Bubi**, en Bioko, y los **Bantú**.

Cocina

Guinea Ecuatorial tiene platos de cocina europea y africana. Entre estos platos, destacan el **pepesup** (una sopa picante) y el **pollo con chocolate**. El principal acompañante de los platos es la yuca (*mbong,* en la lengua africana fang). También se comen frutas tropicales y carnes poco habituales como cocodrilo, serpiente, mono o rata silvestre.

Una tradición curiosa

En la ciudad de **Bata**, cada año, a las seis de la mañana del uno de enero, los habitantes se reúnen en las playas y se bañan vestidos a la luz de la luna. Con este ritual, se deshacen de la mala suerte del año anterior y saludan al año nuevo.

Artesanías

Los objetos esculpidos en maderas nobles como caoba, ébano o palisandro, son productos típicos de Guinea Ecuatorial.

Actividades

1. Conteste las preguntas.

a. ¿Con qué países limita Guinea Ecuatorial?

....

b. ¿Cómo se llama la isla de Guinea Ecuatorial más bonita de África occidental?

....

....

c. ¿Cuál es la moneda de Guinea Ecuatorial?

....

....

d. Cite tres animales típicos del país.

....

....

e. La población de Guinea Ecuatorial sufre dos grandes problemas. ¿Cuáles son?

....

....

2. Complete con la palabra que corresponde.

a. _____: habitante de Guinea Ecuatorial.

b. _____: sopa picante típica de Guinea Ecuatorial.

c. _____: acompañante de casi todas las comidas.

d. _____: principal riqueza de Guinea Ecuatorial.

3. ¿Verdadero o falso?

	V	F
a. El español no es lengua oficial de Guinea Ecuatorial.	☐	☐
b. En 1778, el territorio pasa a manos de Portugal.	☐	☐
c. En 1968 se proclama la independencia de Guinea Ecuatorial.	☐	☐
d. Los tejidos de colores variados son productos artesanales típicos de Guinea Ecuatorial.	☐	☐
e. Los habitantes de Bata se bañan vestidos, de noche, el primer día del año.	☐	☐

Hechiceros y máscaras

El pueblo fang vive en la parte continental de Guinea Ecuatorial. En esta comunidad hay hechiceros que, durante los rituales, llevan máscaras preciosas.

Cántico
(fragmento)

Yo no canto al sexo exultante
que huele a jardín de rosas.
Yo no adoro labios gruesos
que saben a mango fresco.

Yo pienso en la mujer encorvada
bajo su cesto cargado de leña
con un niño chupando la teta vacía.
Yo describo la triste historia
de un mundo poblado de blancos,
negros,
rojos y
amarillos
que saltan de charca en charca
sin hablarse ni mirarse.

Donato
Ndongo-Bidyogo

Literatura

Leoncio Evita Enoy
(1929-1996) es considerado el primer novelista ecuatoguineano, por su obra *Cuando los combes luchaban.*

Donato Ndongo-Bidyogo
Es escritor y periodista. Ha publicado relatos y varios trabajos sobre temas históricos, culturales y políticos en la prensa española y extranjera. En 1984, es finalista del premio Sésamo con su obra *Las tinieblas de tu memoria negra,* primer libro de la trilogía *Los hijos de la tribu.* Cuenta la vida de una generación de ecuatoguineanos a través de la historia del país.
Ha sido director adjunto del Centro Cultural Hispano-Guineano de Malabo.

Las alturas de Guinea

El **pico Basilé**, situado en la isla de Bioko, es la montaña más alta del país (3 007 m). Desde allí, se puede ver la península, Nigeria y Camerún.

Ciudades y playas

Es interesante visitar **Malabo**. Es una ciudad bastante deteriorada, pero con monumentos de la época colonial interesantes, por ejemplo la **Catedral** y la **Casa de España**. También vale la pena ir a **Luba**, la segunda ciudad más grande de Bioko, para admirar sus bonitas playas de arena blanca.

Vida salvaje

En el **Parque Natural Monte Alén** se pueden ver chimpancés, mandriles y gorilas. Es fácil verlos con la ayuda de un guía profesional y un poco de tiempo y paciencia.

Cataratas de Mosumo

Se encuentran en medio de la selva, cerca de Niefang. Hay que pedir permiso al jefe del poblado para visitar las cataratas y solicitar un guía.

Actividades

1. Cite dos monumentos destacables de la capital de Guinea Ecuatorial.

....

....

2. Elija la opción correcta.

a. ¿Quién es Donato Ndongo-Bidyogo?

☐ Un guía de turismo.

☐ Un escritor.

☐ Un escultor.

b. ¿Qué hay en el Parque Natural Monte Alén?

☐ Artesanías.

☐ Animales.

☐ Playas.

c. ¿Qué se puede ver desde el pico Basilé?

☐ Nigeria y Camerún.

☐ La costa de Sudamérica.

☐ Gabón y Nigeria.

3. Conteste las preguntas.

a. ¿Dónde está Luba y qué se puede ver allí?

....

....

b. ¿De qué trata el libro *Las tinieblas de tu memoria negra*?

....

....

c. Lea el fragmento del poema *Cántico* de Ndongo-Bidyogo y elija la respuesta correcta.

1. Es un poema de amor.   ☐

2. Es un poema erótico.   ☐

3. Es un poema de denuncia social.   ☐

BELICE

Mar Caribe

Islas de la Bahía

Puerto Cortés

La Ceiba

GUATEMALA

San Pedro Sula

Tecucigalpa

EL SALVADOR

NICARAGUA

OCÉANO PACÍFICO

Vestimenta

Los trajes hondureños se remontan a la época precolombina: los mayas y los lencas vestían ropa de algodón, pero los pech, miskitos y tolupanes empleaban la fibra del árbol tuno (este árbol posee una capa fibrosa entre la corteza y la madera). Por la diversidad de regiones hay más de 30 trajes típicos.

Los hondureños o "catrachos" forman un pueblo de mestizos, garifunas y diversas etnias indígenas autóctonas (chortis, pechs, miskitos, lencas, xicaques, mayas).

Datos del país

Superficie: 112 090 km².

Población: 7 792 854 habitantes.

Capital: Tegucigalpa.

Ciudades importantes: San Pedro Sula, Puerto Cortés, La Ceiba.

Moneda: Lempira (HNL).

Forma de gobierno: República democrática constitucional.

Lo que cuentan en Honduras

La cultura de tradición oral es muy importante entre los hondureños. Los refranes, cuentos, adivinanzas, mitos, bombas... se inventan todos los días y se transmiten de unos a otros. Son frases ingeniosas, de elogio o de rechazo, que se dicen entre las personas. Por ejemplo: "De un tronco nació una rosa y del agua un caracol, de los ojos de esta joven nacen los rayos del sol".

Lempira

Es uno de los héroes nacionales de Honduras. Su nombre significa "señor de la sierra". Durante la colonización, a partir de 1530, organiza la lucha de los indígenas contra los españoles. Fue asesinado por un soldado español. Después de la independencia, en 1838, dieron su nombre a la moneda del país en su honor.

Las comunidades hondureñas defienden sus intereses y su identidad a través de la **Confederación de Pueblos Autóctonos.** Hay bastante pobreza porque el campo está poco trabajado y su riqueza mal distribuida. Es fundamental el envío de dinero de los emigrados.

¿Qué se come?

Tapado: carne o pescado con frutas y legumbres, todo bañado con leche de coco.

Sopas: de caracol y de mariscos.

Baleadas: tortillas de harina rellenas con frijoles fritos, queso y crema líquida.

Pollo a la choluteca: pollo con chile, ajo, sopa de hongos y otros ingredientes.

Una curiosidad

Hay diccionarios sobre el variado vocabulario que usan los campesinos del país para referirse a sus cosas.

Aficiones

El fútbol, el béisbol y las corridas de toros son aficiones populares. En las casas, se juega mucho al dominó.

El guancasco

Es una tradición indígena que consiste en la visita del santo patrono de un pueblo a otro pueblo vecino, uno es huésped y el otro anfitrión. Luego se devuelve la visita con otro festejo popular, con el mismo entusiasmo y amabilidad que la primera vez.

Bailes

Cada grupo indígena conserva sus danzas típicas. Los **lencas** suelen realizar exhibiciones en público. Los bailarines son sobre todo hombres. Los **garifunas**, por su parte, hacen participar al público presente, y las mujeres son las protagonistas. Las máscaras cumplen un papel importante en las danzas tradicionales. Instrumentos como el violín, el tambor, los pitos... acompañan las melodías.

Actividades

1. Conteste las preguntas.

a. ¿Qué grupos étnicos componen la población hondureña?

....

....

b. Nombre tres platos típicos de Honduras.

....

....

c. Según su opinión, ¿cuál es el valor especial que tiene la celebración del guancasco?

GENEROSIDAD - SACRIFICIO - RESPONSABILIDAD
RECIPROCIDAD - PERSERVERANCIA - PACIENCIA

d. ¿Quién fue Lempira?

....

....

e. Cree una "bomba" de elogio y otra de rechazo.

....

....

2. Relacionar.

a. tapado	**1.** tradición oral
b. guancasco	**2.** dominó
c. afición	**3.** máscaras
d. refranes	**4.** de caracol
e. sopa	**5.** de pescado
f. danzas	**6.** visitas

3. Indique qué elementos no forman parte de las celebraciones hondureñas.

MÁSCARAS - VIOLÍN - REFRANES - SANTO
DOMINÓ - TAPADO - BALEADAS

4. ¿Qué características diferencian los bailes de los lencas y los de los garifunas?

....

....

....

Una ciudad por 50 dólares

En 1839, el arqueólogo norteamericano **John Stephens** descubre las **ruinas de Copán,** actualmente un importantísimo sitio arqueológico maya famoso por su **estela de piedra.** Lo más curioso es que, para poder investigar los monumentos, Stephens compra los terrenos selváticos con ciudad incluida a un señor hondureño por 50 dólares. Más tarde, el Estado hondureño lo recupera. En Copán, además del museo, se pueden admirar plazas y templos y una cancha para el juego de pelota.

Todos pintan

Los pintores **Roque Zelaya** y **José Antonio Velásquez** han hecho famoso en el mundo el **estilo primitivista hondureño.** La pintura es una manifestación popular: se pinta en muchos sitios: coches, casas, autobuses, tiendas...

Una naturaleza exuberante

En Honduras, la fauna está compuesta por monos, gatos monteses, mapaches, conejos, ardillas, reptiles y anfibios diversos; urracas, tucanes y guacamayos, entre muchas otras aves. Los diferentes parques nacionales (**Montecristo, Cusuco, Santa Bárbara,** etc.) son hábitat de árboles gigantes como pinos, cedros reales, caobas o el árbol de María.

Artesanías

Los artesanos hondureños confeccionan manteles bordados, alfombras, objetos tallados en madera –decorados con motivos mayas–, sombreros con complicados diseños, cestas, las llamadas muñecas de Tusa (muñecas de trapo) y hacen trabajos sobre lienzos de fibra vegetal de tuno oscuro o claro, con paisajes hondureños en color.

Ciudades para visitar

Gracias y **Comayagua** conservan una hermosa arquitectura colonial. Otras ciudades, como **San Pedro Sula**, son más industriales, mientras **Puerto Cortés** es uno de los puertos más seguros del mundo y quizá el más moderno de Centroamérica.

Literatura

Roberto Sosa es un poeta hondureño considerado como uno de los más importantes de América central.
Sus obras han sido traducidas a varios idiomas.

Historias para no dormir

Todavía quedan en Honduras pueblos y ciudades donde los narradores locales cuentan por las noches historias increíbles. Por ejemplo, hablan de…
Sisimite o **Itacayo**. Similar a *Bigfoot* (Estados Unidos) o al *Yeti* del Himalaya, se trata de un hombre-mono fuerte y grande que se esconde en los campos de maíz y secuestra a mujeres con las que luego tiene hijos.

Actividades

1. Elija la opción correcta.

a. El estilo de pintura de José Antonio Velásquez es...

☐ impresionista.

☐ primitivista.

b. Copán es famoso por...

☐ su estela de piedra.

☐ su carnaval.

2. Relacione.

a. Roque Zelaya	**1.** literatura
b. Roberto Sosa	**2.** pintura
c. John Stephens	**3.** leyenda
d. Sisimite	**4.** arqueología

3. ¿Verdadero o falso?

	V	F
a. El Itacayo es un perro-cerdo.	☐	☐
b. Comayagua es una ciudad industrial.	☐	☐
c. Copán pertenece al Estado hondureño.	☐	☐
d. Roberto Sosa es un músico hondureño.	☐	☐

4. Clasifique las siguientes palabras en la columna correspondiente.

MONO - PINO - CEDRO - MAPACHE

ARDILLA - TUCÁN - GUACAMAYO - CAOBA

Flora	Fauna
....	....
....	....
....	....
....	....

5. ¿Existe un personaje fantástico parecido al Sisimite en su cultura? Cuente su historia.

....
....
....
....
....

ESTADOS UNIDOS

OCÉANO PACÍFICO

Golfo de México

• Monterrey

Querétaro

Guadalajara

Ciudad de México

Cuernavaca

Acapulco

Puebla

Oaxaca

• Veracruz

Palenque

• Cancún

BELICE

GUATEMALA

Una leyenda

Cuenta la leyenda que el pueblo azteca caminó durante dos siglos hasta que vio un águila que devoraba una serpiente posada sobre un árbol florecido; esta fue la señal profetizada de los dioses para fundar allí su capital, **Tenochtitlán**, actualmente Ciudad de México.

❝❝ México es el país hispanohablante con mayor población. ❞❞

La historia en pocas palabras

En el México prehispánico se desarrollaron culturas avanzadas como la olmeca, tolteca, maya y azteca, que en el siglo XVI reciben el impacto de la conquista española, iniciada por **Hernán Cortés**. Tras muchos años de lucha, se obtiene la independencia en 1821. En 1847 finaliza una guerra con Estados Unidos y México pierde Texas. En la primera mitad del siglo XX se produce la Revolución Mexicana: líderes como **Emiliano Zapata** y **Pancho Villa** reclaman importantes derechos sociales para los campesinos.

Datos del país

Superficie: 1 958 200 km^2

Población: 103 263 388 habitantes.

Capital: Ciudad de México.

Ciudades importantes: Guadalajara, Veracruz, Oaxaca, Puebla, Acapulco.

Moneda: Nuevo peso mexicano (MXN).

Forma de gobierno: República federal.

México limita con EE. UU. al norte y con Guatemala y Belice al sur. Además del territorio continental posee un extenso mar territorial e importantes islas, como Cozumel, Guadalupe y Revillagigedo. La costa este está bañada por el mar Caribe. La oeste por el océano Pacífico.

La lengua principal es el español, pero las lenguas indígenas, como el náhuatl, mixteco o el kekchí, también están reconocidas oficialmente.

Clima

Las condiciones climáticas varían desde la aridez semidesértica en el norte, climas cálidos húmedos y subhúmedos en el sur-sureste y temperaturas frías o templadas en las zonas elevadas.

Dos maneras de escribir el nombre del país

¿*Méjico* o *México*? se recomienda la forma con x, al igual que todos sus derivados: *mexicano, mexicanismo,* etc. *Méjico* es una forma antigua.

Aspecto físico

El territorio mexicano está atravesado por cadenas montañosas. En el centro, se encuentra la meseta, con una rica región agrícola (el Bajío). Al norte hallamos desiertos como el de **Chihuahua** y **Sonora**, y al sur, muchos ríos y vegetación subtropical. También hay varios volcanes como el **Popocatépetl** y penínsulas que se adentran en los océanos, como la de **Baja California** (Pacífico) y la de **Yucatán** (Atlántico).

Principales productos

México produce tabaco, productos químicos, alimentarios y textiles. La minería y los combustibles también son importantes.
Es el productor de **plata** más importante del mundo.

Actividades

1. ¿Verdadero o falso?

	V	F
a. La moneda mexicana es el dólar mexicano.	☐	☐
b. El sur de México tiene desiertos.	☐	☐
c. El Bajío es una región agrícola.	☐	☐
d. El Popocatépetl es un volcán.	☐	☐
e. Hernán Cortés fue un rey mexicano.	☐	☐
f. México es una república.	☐	☐
g. La Revolución Mexicana tiene lugar en la primera mitad del siglo XX.	☐	☐
h. Baja California es una isla.	☐	☐

2. Tache la información falsa.

a. La capital azteca de México se llamaba:

YUCATÁN - COZUMEL - CHIHUAHUA - TENOCHTITLÁN

b. La población mexicana es de unos:

26 MILLONES - 100 MILLONES - 10 MILLONES
85 MILLONES

3. Conteste las preguntas.

a. ¿Cuáles son las principales actividades económicas de México?

....
....

b. ¿Cuándo perdió México territorios como Texas o California?

....
....

4. Encuentre en esta sopa de letras los nombres de cuatro culturas prehispánicas de México.

O	Z	X	F	G	G	M
L	Z	C	X	N	B	M
M	X	C	V	B	G	M
E	Z	X	C	V	B	M
C	A	Z	T	E	C	A
A	V	B	R	E	H	Y
T	O	L	T	E	C	A

Sabrosa y picante

La comida mexicana tiene sabores fuertes y muchos condimentos. Los elementos principales son el maíz, picantes como el **chile** (o ají), las carnes rojas, los frijoles y el aguacate. Son sabrosos los **tamales** (hojas de maíz rellenas), las **quesadillas** (tortillas de maíz o harina con queso) y los **tacos** (masa que se rellena con carne, verduras y salsas picantes). Por la noche, si hace frío o se quiere dormir, nada mejor que beber un buen **tequila,** extraído del jugo del agave. La cocina mexicana es muy conocida en todo el mundo.

Lo primero es la familia

La familia mexicana es muy importante. Las familias celebran los principales acontecimientos de la vida: el nacimiento de los niños, los 15 años de las jovencitas, los matrimonios –con sus típicas serenatas nocturnas ante el balcón de la novia– o los entierros.

Ser mexicano

Aunque entre 1930 y 1970 hubo una gran prosperidad económica ("milagro mexicano"), con el tiempo se ha producido el problema de la emigración ilegal a EE. UU. Muchos mexicanos cruzan la frontera en busca de trabajo y mejores condiciones de vida. El mexicano tiene estereotipos que lo caracterizan como un charro (jinete) machista con sombrero, pistola y bigote...

Bailes

Junto al charro, las mujeres mexicanas (llamadas "chinas poblanas") danzan en bailes típicos como el **Jarabe Tapatío** (de Jalisco). Usan las tradicionales huaraches (sandalias de cuero), largos vestidos bordados, abanicos... ¡Colores en movimiento y mucho ritmo!

Leyendas y supersticiones

Muchos mexicanos cuentan historias de aparecidos, como **la llorona,** una mujer triste que anda por las mañanas, se arrodilla en la Plaza Mayor y desaparece en el lago Texcoco. Posiblemente llora por sus hijos muertos durante la Conquista.

Para los que quieren cambiar su suerte, los mercados mexicanos tienen puestos con hierbas, huevos, amuletos, cruces, calaveras, piedras de colores y collares para la salud, el amor o el dinero.

Deportes

Los deportes más importantes son el fútbol y el béisbol. México fue sede de los mundiales de fútbol de 1970 y 1986. También son ídolos boxeadores **Julio César Chaves** y **Pipino Cuevas**.

Actividades

1. Describa el estereotipo del hombre mexicano.

....

....

....

2. Elija las opciones correctas.

a. Los alimentos básicos de la comida mexicana son…

☐ el trigo.

☐ el maíz.

☐ la manzana.

☐ el chile.

b. Los mexicanos celebran...

☐ el cumpleaños de la llorona.

☐ el nacimiento de un hijo.

☐ los 15 años de una jovencita.

☐ un divorcio.

c. Los deportes más populares son…

☐ el vóleibol.

☐ el fútbol.

☐ las carreras de caballos.

☐ el béisbol.

3. Conteste las preguntas.

a. Cite dos objetos que se venden en los mercados mexicanos para cambiar la suerte.

....

b. ¿Dónde desaparece la llorona?

....

c. ¿De dónde se extrae el tequila?

....

d. ¿Por qué muchos mexicanos emigran a Estados Unidos?

....

Día de Muertos

El 2 de noviembre, Día de Muertos, los cementerios están llenos de luz, música y flores. Ese día, son típicas las calaveras de dulce y de papel, o los pancitos (panes pequeños) con forma de cráneos y huesos. La fiesta es un momento de paz con algo de humor negro. Su origen es muy antiguo: los aztecas ya la celebraban. Cuando llegaron los europeos, transformaron los rituales y los hicieron coincidir con festividades católicas.

Bailes y mariachis

"Las fiestas son nuestro único lujo", dijo alguna vez Octavio Paz. Y no hay día sin fiesta en algún lugar de México: fuegos artificiales, bailes, mariachis (bandas de cantantes con guitarrones y trompetas) y corridos populares (canciones que se difundieron especialmente durante la revolución, como los famosos *La cucaracha* o *Adelita: Si Adelita se fuera con otro, la seguiría por tierra y por mar, si por mar en un buque de guerra, si por tierra en un tren militar...*

Corpus Christi

Se celebra en mayo o en junio con misas y procesiones en todo el país. Lo llaman el día de "las mulitas": los niños van disfrazados de indios con sus huacales (especie de cesta o caja) y se bendice a los animales.

Día de la Virgen de Guadalupe

La Virgen de Guadalupe es la patrona de toda América. Su fiesta se celebra el 12 de diciembre. Según la leyenda, la Virgen de Guadalupe se apareció en 1531, en el cerro del Tepeyac, al humilde indio Juan Diego. Miles de peregrinos se acercan a su santuario en Ciudad de México para darle las gracias y cantarle "Mañanitas" (típico canto de cumpleaños). Alrededor de la basílica de Guadalupe se preparan comidas y zumos de fruta que se ofrecen a los peregrinos que pasan.

La "fiesta brava"

Una costumbre que llega a México con la Conquista española y que se instala en la cultura local, son los toros. La temporada es de noviembre a marzo. Las plazas de toros más destacadas son las de Ciudad de México, Aguascalientes, San Luis Potosí y Zacatecas. La plaza de Ciudad de México es la más grande del mundo, con espacio para 42 000 espectadores.

Las tradicionales "posadas"

Del 16 al 24 de diciembre, durante 9 noches, en todo México se conmemora la historia de la virgen María y San José, cuando buscaban un refugio antes del nacimiento de Jesús. Los peregrinos caminan acompañados de velas y cantan. Cada noche hay una fiesta en una casa diferente. Niños con los ojos vendados dan vueltas bajo una olla de barro o un gran globo con regalos y caramelos golpeándolo hasta romperlo para ver caer la esperada lluvia: es la popular piñata.

Actividades

1. Escriba una carta a un amigo o amiga para invitarlo/a a la fiesta de la Virgen de Guadalupe en México.

……………., … de ……. de 20….

Querido/a ………:

Estoy paseando por México y en el mes de .... es .... (nombre de la fiesta).
La fiesta recuerda ....
.. .
Dicen que en la fiesta ....
.. .

Seguramente va a ser maravilloso. ¿Por qué no vienes a pasar unos días aquí? Espero tu respuesta.
Un abrazo

....
(su nombre)

2. ¿Verdadero o falso?

	V	F
a. Todas las fiestas mexicanas son religiosas.	☐	☐
b. Los corridos se hicieron populares con la revolución.	☐	☐
c. *La cucaracha* es un baile típico.	☐	☐
d. Los mariachis son grupos musicales.	☐	☐

3. Relacione.

a. Día de Muertos	**1.** piñata
b. mulitas	**2.** plazas de toros
c. Juan Diego	**3.** 2 de noviembre
d. tradicionales posadas	**4.** Corpus Christi
e. fiesta brava	**5.** Virgen de Guadalupe

4. Elija la opción correcta.

a. Para festejar un cumpleaños, los mexicanos...
☐ llevan huacales.
☐ caminan con velas.
☐ cantan "Mañanitas".

b. En México, las corridas de toros se denominan...
☐ fiesta brava.
☐ fiesta Española.
☐ fiesta Fuerte.

Mayas y aztecas

En distintos lugares del país encontramos monumentos: pirámides, templos decorados con glifos (sus signos de escritura), murales, calendarios de piedra y predicciones astronómicas de asombrosa exactitud. **Las Crónicas de Indias** nos hablan de la conquista, pero también de las costumbres y la civilización de estos primeros americanos.

Arte y revolución

Tras la Revolución Mexicana se crea un gobierno socialista que necesita recrear en grandes murales la historia y la identidad del pueblo mexicano. Así surge en la década de 1920 el muralismo, con representantes como **Diego Rivera, José Clemente Orozco, David Alfaro Siqueiros** y **Rufino Tamayo.**

Gael García Bernal

Actor muy famoso dentro y fuera de México, empezó en el teatro; más tarde actuó en varias películas como *Amores perros* (2000) o *Diarios de motocicleta* (2004), donde hace el papel del joven Che Guevara.

Mujeres mexicanas...

...como **Sor Juana Inés de la Cruz**, poeta del siglo XVII, o **Frida Kahlo**, original pintora conocida mundialmente. Además de su arte, son ejemplos de la lucha por tener un lugar en la cultura. En la actualidad, la periodista y escritora **Elena Poniatowska**, entre otras, sigue el mismo camino.

Música que enamora

En México hay muchos autores e intérpretes de boleros, un género musical muy popular en toda Latinoamérica. Los boleros hablan de amor, de ilusiones y de nostalgia, y se bailan en pareja. **Agustín Lara** y **Armando Manzanero** son dos importantes compositores del género. Entre los cantantes más conocidos están Pedro Vargas, Elvira Río o el trío Los Panchos.

Pop y rock mexicano

Los **Molotov**, creadores de un *rock* fuerte y con canciones que describen la realidad mexicana, son conocidos mundialmente; a veces mezclan en sus canciones el español con el "spanglish"; **Café Tacuba**, que fusiona el *rock* con el pop y el folk latino y **Maná**, románticos y rockeros.

Literatura

La literatura mexicana no puede resumirse en pocas palabras. Hay poetas o ensayistas como **Octavio Paz** (1914-1998) o novelistas como **Carlos Fuentes** (1928 -). *Libertad bajo palabra* y *El laberinto de la soledad,* de Paz o *La muerte de Artemio Cruz* y *Cambio de piel,* de Fuentes, son obras de valor universal.

Mención especial merece **Juan Rulfo** (1917-1986), que en su novela *Pedro Páramo* dibuja a la perfección y con sencillez la vida de la gente de provincias.

Actividades

1. Complete el texto siguiente con las palabras adecuadas.

PEDRO PÁRAMO – OCTAVIO PAZ – GENTE DE PROVINCIAS – JUAN RULFO – BARROCO SENCILLO – EXPRESIONISTA

El escritor _____ es el autor de la novela _____.

Sus personajes son _____ y su estilo es _____.

2. Relacione.

a. Orozco	**1.** pintora
b. Frida Kahlo	**2.** cine
c. Carlos Fuentes	**3.** mural
d. Mayas	**4.** siglo XVII
e. Sor Juana Inés de la Cruz	**5.** pirámides
f. Maná	**6.** *Cambio de piel*
g. Gael García Bernal	**7.** música

3. Entre estas palabras desordenadas busque tres relacionadas con el arte de México.

a. AMXCALN: _____

b. TOVOLMO: _____

c. BHANPAY: _____

d. QUEISSOER: _____

e. OFGILS: _____

4. Conteste las preguntas.

a. ¿Cuáles son los temas propios del bolero?

....

....

b. Nombre tres artistas mexicanos relacionados con el bolero. Pueden ser compositores o intérpretes.

....

....

c. Cite dos pintores representantes del muralismo.

....

....

d. Escriba el título de una obra de Octavio Paz.

....

....

Viaje al pasado

Recursos naturales extraordinarios, vida cultural intensa y un pasado fabuloso son la combinación ideal para atraer a los turistas. Todo México merece ser visitado. Para los que les gustan los sitios arqueológicos hay ruinas mayas como **Palenque** o **Chichen Itzá**, con sus templos y observatorios que muestran los conocimientos matemáticos y astronómicos de este pueblo fascinante.

La piedra del Sol o Calendario Azteca

Este impresionante monolito fue descubierto en 1790 bajo la actual plaza Mayor de México. Está expuesta en el Museo Nacional de Antropología de la Ciudad de México.

Descanso y aventura

Desde **Cancún** en la península de Yucatán o **Acapulco** en el Pacífico, México tiene excelentes playas y lujosos complejos hoteleros para descansar. Actualmente, el lugar más importante para bucear y practicar deportes acuáticos es **Cabo San Lucas**, en la península de Baja California, con su arco de piedra sobre el mar.

Frente a Yucatán está **Cozumel**, una isla con encanto que tiene arrecifes de coral, selvas y playas paradisíacas. **Oaxaca**, además de ofrecer un centro histórico declarado Patrimonio de la Humanidad por la UNESCO, se levanta entre hermosos valles y tiene playas para practicar surf (Puerto Escondido). Sus yacimientos arqueológicos de **Monte Albán** y **Mitla** están próximos a unas cascadas milenarias donde el agua está muy caliente.

Ciudades mexicanas

Modernos rascacielos y zonas gastronómicas o financieras –como Avenida de los Insurgentes–, ruinas aztecas y coloniales en el Centro Histórico, todo se encuentra en la capital mexicana. También hay que visitar los fantásticos museos del **Templo Mayor** y de **Antropología** o el propio **Palacio de Bellas Artes**, decorado con estilo prehispánico.

El pasado colonial perdura también en ciudades como **Guanajuato,** célebre por los festivales cervantinos de entremeses –pieza teatral breve y cómica–.

En **Cuernavaca, Querétaro** y **Guadalajara** es posible pasear por las calles admirando el estilo plateresco español y el arte barroco.

1. ¿Verdadero o falso?

	V	F
a. El entremés es una pieza teatral breve y cómica.	☐	☐
b. El Palacio de Bellas Artes de México está decorado a la italiana.	☐	☐
c. Cuernavaca se caracteriza por su estilo plateresco.	☐	☐
d. Cozumel es una isla próxima a Yucatán.	☐	☐

2. Conteste las preguntas.

> GUANAJUATO - CHICHEN ITZÁ - CABO SAN LUCAS
> OAXACA

a. ¿Dónde hay cascadas de aguas hirvientes?

....

b. ¿Dónde se pueden ver entremeses?

....

c. ¿Dónde se pueden visitar ruinas mayas?

....

d. ¿Dónde se pueden practicar deportes acuáticos?

....

3. Tache lo que NO va a encontrar en un viaje por México.

> LA CASA DE MOZART - CASAS COLONIALES
> RUINAS ROMANAS - PLAZAS DE TOROS
> CASTILLOS - PLAYAS SOBRE EL OCÉANO ÍNDICO
> PLAYAS SOBRE EL OCÉANO PACÍFICO - SELVAS
> VOLCANES - ESCASA VIDA CULTURAL

4. Complete las frases a, b, c, d con las expresiones correspondientes 1, 2, 3, o 4.

a. En el museo de Antropología de México se puede admirar…

b. Cancún, San Lucas y Acapulco tienen…

c. Querétaro y Cuernavaca tienen…

d. El Museo del Templo Mayor está en…

1. …playas para veranear.

2. …edificios coloniales.

3. …la Piedra del Sol.

4. …Ciudad de México.

HONDURAS

Mar Caribe

OCÉANO PACÍFICO

Estelí

Chinandega

León

Managua

Masaya

Granada

San Juan del Sur

COSTA RICA

Un poco de historia

"Nicaragua, violentamente dulce …". Así la llama el escritor argentino Julio Cortázar en un libro. Los españoles colonizan la mayor parte del país a partir de 1522 y Nicaragua se independiza de España en 1821. En 1856, el aventurero estadounidense **William Walker** se hace presidente, pero poco después es expulsado. Entre 1912 y 1933, Nicaragua estuvo ocupada por soldados del ejército norteamericano.

Los Somoza

Desde mediados del siglo XX la familia **Somoza** gobierna durante décadas, entre elecciones democráticas y dictaduras.Tras la revolución del **Frente Sandinista de Liberación Nacional** (FSLN), el último Somoza, Anastasio Somoza, dejó el poder en 1979. El presidente norteamericano Ronald Reagan apoyó a los enemigos del FSLN, llamados los *contra,* y luchó contra los sandinistas. En 1984 hay elecciones libres y gana un líder sandinista: **Daniel Ortega**.

Datos del país

Superficie: 130 370 km².

Población: 5 891 199 habitantes.

Capital: Managua.

Ciudades importantes: Estelí, Chinandega, León, Masaya, Granada.

Moneda: Córdoba (NIO)

Forma de gobierno: República.

" Los nicaragüenses se llaman entre ellos *nicas*. "

Managua, la capital del país, tiene muchos volcanes y sufre terremotos con frecuencia. Para evitar desastres, en los últimos años se construyen rascacielos que resistan a los terremotos.

Población

Nicaragua es un país de gente joven: casi el 60% de la población son menores de edad. La palabra *mestizaje* es muy significativa, puesto que en Nicaragua conviven descendientes de españoles, negros e indígenas, especialmente **miskitos**.

Sabor, aromas y color

El alimento base de los nicas es el **maíz,** y en la costa del Caribe es el coco. El menú es variado, pero el rey de las comidas es el **Gallo Pinto**: arroz con frijoles, cuajada (un tipo de queso), vegetales frescos y tortillas de maíz.

Otro plato popular es el **Indio viejo**, a base de ternera, cebolla, ajo, chiltoma (condimento) y tomate.

Sandino, héroe nacional

El héroe nacional más respetado es **Augusto César Sandino,** campesino, patriota y revolucionario. Para combatir la ocupación

norteamericana se retiró a la selva y a la montaña y organizó a los guerrilleros. En 1934, después de la salida de los invasores, el Jefe de la Guardia Nacional, un Somoza, lo mandó asesinar. Su valentía y sacrificio por Nicaragua perduran en el recuerdo de los nicaragüenses.

Cómo visten

En Masaya hay un traje femenino muy representativo: un huipil o blusa, una falda y un rebozo (chal rojo). Los hombres visten pantalón azul, cotona blanca (camisa corta ancha, de mangas largas y sin cuello) y sombrero aludo (de ala grande), como el de Sandino.

Actividades

1. Complete los espacios con las palabras correspondientes.

a. Arroz con frijoles.

_ _ _ _ _   _ _ _ _ _

b. Apellido del aventurero extranjero que conquista el poder en 1856.

_ _ _ _ _ _

c. Nombre de un grupo indígena de Nicaragua.

_ _ _ _ _ _ _ _

d. Edad de la vida que más predomina entre la población del país.

_ _ _ _ _ _ _ _

e. Cultivo tradicional de Nicaragua y Centroamérica.

_ _ _ _

f. Cuerpo militar norteamericano que ocupó Nicaragua.

_ _ _ _ _ _ _

g. Nombre dado a los nicaragüenses.

_ _ _ _ _

h. Héroe nacional.

_ _ _ _ _ _ _

i. Adjetivo que se aplica al sombrero masculino típico de Nicaragua, de ala ancha.

_ _ _ _ _

j. Fruta característica de la cocina del Caribe.

_ _ _ _

k. Familia de presidentes y dictadores del país.

_ _ _ _ _ _

l. Nombre de un traje femenino típico de la región de Masaya.

_ _ _ _ _ _

2. ¿Por qué el escritor argentino Julio Cortázar dice que Nicaragua es "violentamente dulce"?

....
....
....

Poeta nacional y universal

Rubén Darío (1867-1916) es uno de los poetas más importantes de la literatura hispanoamericana. Después de una etapa en que imita al simbolismo francés, logra hacer poesía con diferentes temas y variantes poéticas. Renueva el panorama de la poesía en español. Se llama **modernismo** a la corriente que inspira. Grandes escritores y poetas de España y América lo siguen: Machado, Vallejo, Neruda... Algunas de sus obras son *Azul, Prosas profanas, Cantos de vida y esperanza.*

Sueño de Solentiname

Al sur del Lago de Nicaragua está el archipiélago de Solentiname, con muchas islas pequeñas. En los años 70, el poeta **Ernesto Cardenal** sueña con una comunidad de artistas y desde entonces poetas, pintores y escultores van a vivir allí. Con sencillez, pero rodeados de belleza artística, natural y espiritual se vive *el sueño de Solentiname,* como dice Manu Chao en una canción.

Danzas tradicionales

Durante la celebración de las fiestas, en medio de corridas de toros y peleas de gallos, se bailan danzas como el **sapo**, la **culebrita** y el **garañón**. En Bluefields, excolonia inglesa afronicaragüense, se baila el **palo de mayo**, un baile de movimientos rápidos.

Solidarios

En los años 80, jóvenes de todo el mundo identificados con la revolución sandinista fueron a cosechar, vacunar y construir escuelas u hospitales para ayudar a la nueva Nicaragua.

Fiestas

El 17 de diciembre, **Día de San Lázaro,** los campesinos van a la iglesia a agradecer al santo por la salud de sus mascotas: desfilan animalitos con disfraces de payasos, bailarines...
En septiembre, en Masaya, se celebra una fiesta muy famosa: **San Jerónimo.** Dura 80 días. Termina la primera semana de diciembre. Es una fiesta llena de color y de música.

La burla del Güegüense

Se representan obras de raíz indígena como *La burla del Güegüense* –comedia baile en lenguas náhuatl y español– donde el nicaragüense es un anciano mestizo que se ríe de la burocracia española.

Rincones de Nicaragua

Managua. En 1972, un terremoto destruye gran parte de la capital. Las ruinas de la Catedral ofrecen un maravilloso espectáculo de luz y sonido. También se puede visitar el moderno Teatro Rubén Darío.

Volcán Masaya. Se puede ascender en coche; y con un poco de suerte, es posible ver el magma en su interior.

Granada. Posee una admirable arquitectura colonial. Es recomendable visitar el Monasterio-Museo de San Francisco, con sus estatuas de piedra precolombinas.

Lago de Nicaragua. Es el más grande de Centroamérica, y se puede recorrer en barco. Tiene 365 islas, formadas por una explosión del volcán Mombacho. Junto al lago se puede observar la bella vegetación y los pájaros... En el volcán Mombacho crecen más de cien variedades de orquídeas.

San Juan del Sur. En esta localidad, sobre la costa del Pacífico, es posible presenciar el espectáculo de las tortugas marinas, que ponen sus huevos en la playa.

León. En esta importante ciudad colonial vivió el poeta Rubén Darío. Y es aquí donde está enterrado.

Actividades

1. Elija la opción correcta.

a. Solentiname es…

☐ una ciudad.

☐ un volcán.

☐ un general.

☐ una comunidad de artistas.

b. El movimiento que renueva la poesía hispanoamericana se llama…

☐ sandinismo.

☐ modernismo.

☐ pintoresquismo.

☐ simbolismo.

c. Las islas del lago de Nicaragua se formaron por…

☐ la explosión del volcán Masaya.

☐ la explosión del volcán Mombacho.

☐ un terremoto.

2. Complete con la palabra adecuada.

a. Rubén Darío ejerce _____ sobre otros poetas hispanoamericanos. Empieza asimilando formas del _____ francés.

b. En el _____ de Solentiname, existe una _____ de artistas que conviven en un ambiente de belleza natural.

3. Relacionar.

a. Managua	**1.** palo de mayo
b. Granada	**2.** mascotas
c. San Juan del Sur	**3.** estatuas precolombinas
d. Día de San Lázaro	**4.** tortugas
e. Bluefields	**5.** catedral en ruinas

4. En esta cadena de letras busque tres animales y/o plantas de Nicaragua.

QTEVEMURAPIRZOPILOTEDICOMAJQJPPAJAROOTXZFEML LORQUIDEATSSGRGSOUKYVTORTUGAWINCCRRÑONB

COSTA RICA

Mar Caribe

Colón

Panamá

David

Archipiélago de las Perlas

Chitré

Golfo de Panamá

COLOMBIA

OCÉANO PACÍFICO

El Canal de Panamá

El famoso **Canal de Panamá** comunica los océanos Atlántico y Pacífico, facilitando el paso de los barcos que hacen las rutas comerciales. Esta gran obra de ingeniería se terminó de construir en 1914, con la ayuda de Francia y Estados Unidos.

Datos del país

Superficie: 78 200 km²

Población: 3 360 474 habitantes.

Capital: Panamá.

Ciudades importantes: Colón, David, Chitré.

Moneda: Balboa (PAB).

Forma de gobierno: República.

Panamá significa en lengua indígena 'abundancia de peces o de mariposas'.

Los kunas

Es una tribu indígena que vive en el archipiélago de San Blas (conjunto de 378 islas que va desde el golfo de San Blas hasta la frontera con Colombia). Mantienen su independencia y sus costumbres. El arte kuna, conocido por sus telas bordadas muy coloridas, es famoso y muy apreciado, sobre todo las blusas, *moles* en lengua kuna.

Un nuevo continente

En 1513, el español **Vasco Núñez de Balboa** descubre el océano Pacífico, al que llama Mar del Sur. Desde entonces, Panamá es punto de paso para el transporte colonial de metales preciosos entre América y España. Sus riquezas atraen a corsarios ingleses como **Francis Drake** (1596) o piratas como **Henry Morgan,** que incendia la primera Ciudad de Panamá (1671). Panamá se independiza de España en noviembre de 1821 y se une voluntariamente a la Gran Colombia (gran república formada también por Colombia, Venezuela y Ecuador); el 3 de noviembre de 1903, con ayuda de Estados Unidos, se separa de la Gran Colombia y se independiza.

Panamá es un tesoro de etnias y culturas. Hay mestizos, mulatos, negros descendientes de antiguos esclavos traídos a las plantaciones de azúcar, blancos, chinos llegados para construir el ferrocarril en 1850, antillanos venidos para edificar el canal y amerindios. Cada grupo aportó sus costumbres, su folclore y hasta sus lenguas.

Dos platos panameños típicos

Arroz con guandú. El guandú o frijol de palo es una legumbre. Se mezcla su grano con arroz. A veces se añade coco y ¡a comer!

Sancocho. Mezcla de distintas carnes (vaca, cerdo, pollo) con tubérculos como la yuca, el maíz o el ñame. Es un tipo de sopa que se toma muy caliente. Da mucha energía.

Ecosistemas

El clima tropical-húmedo de Panamá es agradable y la temperatura es muy uniforme durante todo el año (27°). Las noches son generalmente frescas. El país tiene dos estaciones: temporada de lluvia (desde mayo hasta enero) y temporada seca (desde enero hasta mayo). Hay abundante vegetación de bosques tropicales y sabanas. La fauna es también muy variada. Hay especies mamíferas únicas como el mono aullador, el ñeque (un roedor) de isla Coiba y el simio perezoso pigmeo.

Boxeo

Panamá tiene una gran tradición en este deporte. El panameño **Roberto "Mano de Piedra" Durán** ganó cuatro veces el título mundial de boxeo.

Actividades

1. Conteste las preguntas.

a. Observe el mapa. ¿Con qué países limita Panamá?
....

b. ¿Por qué es tan importante el Canal de Panamá?
....

c. Nombre cinco grupos étnicos que forman parte de la población panameña.
....
....

d. ¿Quién descubre el océano Pacífico?
....

e. ¿Qué objetos dan fama al arte kuna?
....

f. ¿Por qué Panamá fue atractivo para corsarios y piratas?
....
....

g. ¿Qué es la Gran Colombia?
....
....

h. ¿Qué tipos de carne forman parte del sancocho?
....

i. ¿Cómo se llama el boxeador panameño más famoso?
....

2. Complete el texto.

El clima de Panamá se define como _____.
La vegetación principal es de _____ y
_____.

3. Busque la palabra que corresponde.

a. _____: nombre dado al océano Pacífico por Vasco Núñez de Balboa.

b. _____: tipo de frijol que se mezcla con arroz en la cocina tradicional de Panamá.

c. _____: pirata que incendió la ciudad de Panamá en 1671.

El estilo barroco colonial español adorna muchas iglesias de Panamá. El **altar de San José**, en la ciudad vieja, es uno de los pocos que han sobrevivido a los destrozos del pirata Morgan, en 1671.

Danzas populares

De las etnias hispano-indígena y negra, Panamá hereda muchas de sus danzas.

Cumbia. En este baile, las parejas se desplazan formando un círculo: los hombres van por dentro y las mujeres por fuera. Las mujeres llevan velas encendidas en las manos y las cubren con pañuelos de seda para crear imágenes fantásticas. Se acompaña todo con maracas, violines y acordeones.

Tamborito. Se forma un círculo, mitad de hombres, mitad de mujeres, y una pareja va ocupando alternativamente el centro mientras todos bailan al son de rítmicos tambores y del canto de una mujer, la **cantalante**.

Literatura y leyendas

Entre sus autores hay que destacar a **Bertalicia Peralta**, que ha publicado varios libros de poesía y cuentos. También Panamá ofrece un extenso panorama teatral: sus cuentos y leyendas populares tienen un sabor único.

En los pueblos del interior la gente mayor cuenta a jóvenes y niños relatos fantásticos y los cuentos de **abusiones** (fantasmas).

Música

Rubén Blades es uno de los músicos más famosos de Panamá. Su canción *Pedro Navaja* cambió para siempre la salsa. En el año 2000 recibió el título de Embajador Mundial contra el Racismo por la ONU.

La pollera panameña

En Panamá existe una protagonista que es centro de muchas festividades populares: la pollera (falda) panameña. Se organizan festivales especiales donde compiten los diseños más hermosos de faldas. Para conceder el premio, se tienen en cuenta la gracia y elegancia de la modelo, la confección de la ropa y los materiales.

Patrimonio Histórico de la Humanidad

El país tiene varios lugares declarados Patrimonio Histórico de la Humanidad:

– la **fortaleza española de San Lorenzo**, de 1597, en la desembocadura del río Chagres;

– el **casco viejo** (zona de edificios históricos) de la **ciudad de Panamá**;

– el **Parque Nacional La Amistad** y el **Parque Nacional Darién**, donde se puede practicar canopy, ver un jaguar o 1500 especies de mariposas;

– las **reservas de la cordillera de Talamanca**.

Paseos turísticos

Casco Viejo. Se dice que realmente hay tres ciudades en Ciudad de Panamá: **la Vieja**, **la Colonial** y **la Moderna**. En Panamá la Vieja se puede explorar las ruinas que dejó el incendio de Henry Morgan. Panamá Colonial ha sido restaurada y destacan la iglesia de San José con su altar de oro, el Arco Chato, el Teatro Nacional, la Catedral y las Bóvedas.

Ciudad Colón. Su atmósfera portuaria, a la entrada de la costa caribeña, cuenta con bazares orientales, hermosas playas y fortalezas coloniales españolas.

Actividades

1. Conteste las preguntas.

a. Mencione dos sitios panameños Patrimonio Histórico de la Humanidad.

....

....

b. Cite un músico y un escritor panameños.

....

....

c. ¿Quién recibió el título de Embajador Mundial contra el Racismo?

....

2. Relacione.

a. mariposas	**1.** fortaleza española
b. cumbia	**2.** falda
c. pollera	**3.** Panamá Colonial
d. Iglesia de San José	**4.** Parque Nacional Darién
e. San Lorenzo	**5.** Ciudad Colón
f. bazares orientales	**6.** danza

3. Complete.

a. Panamá heredó las danzas de las etnias hispano-indígena y _____.

b. Las parejas forman una _____. Las mujeres llevan _____ en sus manos.

c. En el Tamborito, el instrumento principal es un _____ _____. La gente baila al son del canto de una mujer: la _____.

d. La _____ es una prenda femenina que protagoniza muchas fiestas populares.

e. En los pueblos, la gente cuenta historias de _____ (fantasmas).

BOLIVIA

BRASIL

Pedro Juan Caballero

Concepción

ARGENTINA

Caacupé   Ciudad del Este

Asunción

Itá   Villarrica

Yaguarón

Encarnación

> **Paraguay está en el centro de América del Sur, por eso los paraguayos lo llaman el corazón de América.**

En Paraguay se reconocen dos regiones

La **Región Oriental**, sobre la orilla izquierda del Río Paraguay, es la que concentra la mayor riqueza económica del país. Su clima húmedo y sus tierras favorecen el cultivo de soja, caña de azúcar, tabaco, yerba mate y frutas, entre otros productos. Es la zona más poblada y urbanizada. La **Región Occidental**, sobre la orilla derecha del Río Paraguay, corresponde a lo que se conoce como Gran Chaco, una llanura árida y seca, pero con la mayor parte de la riqueza ecológica y biológica del país. Allí se crían ovejas, vacas y caballos. El 2,3% de la población vive en esta región.

El arpa paraguaya

El arpa paraguaya es un bello símbolo porque está construida con maderas del país y sirve a la música rítmica, dulce y melancólica de estas tierras.

Datos del país

Superficie: 406 750 km²

Población: 6 444 836 habitantes.

Capital: Asunción.

Ciudades importantes: Ciudad del Este, Villarrica, Pedro Juan Caballero, Encarnación.

Moneda: Guaraní (PYG).

Forma de gobierno: República.

Clima

Es templado y cálido durante la mayor parte del año, con una temperatura media de 24º C y veranos largos. El clima de la región Oriental es más húmedo y lluvioso, mientras el de la Occidental es caluroso y seco.

El nombre *Paraguay* viene del guaraní y, aunque se discute el significado, puede ser "agua como el mar". El guaraní es la primera lengua indígena con estatuto de oficial en América. Tiene el mismo reconocimiento que el español y, de hecho, la mayoría de los paraguayos son bilingües.

Industria y energía

La industria se relaciona con productos forestales o alimenticios. Gracias a sus gigantescos ríos, el país produce energía hidroeléctrica en sus represas de **Itaipú** (la más grande del mundo) y Yaciretá. Actualmente, Paraguay forma parte del mercado de integración regional MERCOSUR.

Algo de historia

Después de la independencia de España (1811), se instala la dictadura de **José Gaspar de Francia** hasta 1840. En 1864, bajo la presidencia del **Mariscal Francisco Solano López**, Paraguay era quizás el país más progresista de Suramérica, a pesar de su aislamiento económico. Distintas circunstancias políticas hacen que estalle la **Guerra de la Triple Alianza**: Brasil, Argentina y Uruguay combaten contra Paraguay en una guerra que produce el empobrecimiento del país y la muerte de casi todos sus hombres jóvenes. En 1932 estalla otra guerra, contra Bolivia, por territorios en el Gran Chaco. De 1954 a 1989 ocupa el poder el dictador **Alfredo Stroessner**. Después Paraguay pasa a ser una democracia.

Actividades

1. ¿Verdadero o falso?

	V	F
a. Paraguay es un país bilingüe.	☐	☐
b. De 1954 a 1989, Paraguay vive un período democrático.	☐	☐
c. El nombre del país significa "mucha agua".	☐	☐
d. Itaipú es una gigantesca represa.	☐	☐
e. La moneda del país es el inca.	☐	☐

2. Relacione.

a. Región Oriental

b. Región Occidental

1. clima húmedo
2. Gran Chaco
3. ganadería
4. cultivos
5. escasa población
6. urbanización
7. riqueza ecológica

3. Conteste las preguntas.

a. ¿Qué países limitan con Paraguay?

....

....

b. ¿Qué consecuencias tuvo la Guerra de la Triple Alianza?

....

....

c. ¿Qué beneficios económicos traen a Paraguay los grandes ríos?

....

....

d. ¿Por qué se dice que el arpa paraguaya es un bello símbolo?

....

....

e. Cite tres tipos de cultivos de la Región Oriental.

....

....

Gente

La población paraguaya es mestiza: **guaraní** y **española**. Otras etnias también forman parte de este pueblo, como **matacos** y **guaicurúes**. A veces se retrata al hombre paraguayo como melancólico, tal vez a causa de la dura historia del país. En general, la gente tiene una vida tranquila, vive sin prisas.

Saludos en guaraní

Un paraguayo da los buenos días en la dulce lengua guaraní diciendo: *Mba'éichapa ndepyhareve?,* que significa: '*¿Cómo está esta mañana?'* Saludos semejantes se repiten cortésmente por la tarde y por la noche.

Religión

La religiosidad popular, con toques de sincretismo (unión entre lo indígena y lo católico), es una manifestación fundamental del pueblo paraguayo.

Sabores paraguayos

La cocina paraguaya, de profunda raíz indígena, también tiene influencia española y europea. Se basa en la **mandioca** o **yuca** y en el **maíz**. Son populares las raíces de mandioca hervidas con sal, el delicioso **chipá**, típico pan hecho con almidón de mandioca, leche, queso y huevos, o el **borí borí**, caldo con bolas pequeñas de maíz con queso.

Hay platos antiguos como el **mbeyú** (tortilla de almidón de mandioca que se sirve con queso) y el **arró quesú** (arroz con queso al modo paraguayo).

Uno de los postres típicos es el **koserevá**, un dulce preparado con frutas de la región.

Los creadores del mate

La infusión más popular del Cono Sur suramericano, hecha con yerba mate, nació entre los indígenas guaraníes, que vivían en estas tierras.

A los paraguayos les encanta tomar mate caliente o frío: el tereré (yerba mate con agua fría, hierbas como la menta y algo de hielo).

El ñandutí

En lengua guaraní, significa "tela de araña". El ñandutí es una de las artesanías más típicamente paraguayas, que llegaron con la colonización española. Se trata de un fino encaje que se realiza con hilos blancos o de colores. Se utiliza para decorar ropa, sábanas, cortinas o manteles.

Los trajes típicos

Las mujeres llevan amplias faldas, generalmente estampadas y adornadas con volantes. La blusa o *typoi* está bordada a mano. Usan collares de oro, peinetas y flores naturales en el cabello trenzado. Durante el baile pueden ir sin zapatos. El hombre viste pantalones negros, camisas de ao po'i (tela de algodón bordada a mano), faja en la cintura, pañuelo negro al cuello, poncho y sombrero de karanda'y (palma).

Fútbol y rally

El fútbol paraguayo ha dado jugadores famosos como José Luis Chilavert o el goleador Roque Santa Cruz.
Es el deporte más practicado.
Desde 1971, se celebra el evento automovilístico **Trans-Chaco Rally,** con muchos aficionados.

Actividades

1. Relacione.

a. guaicurúes	**1.** fútbol paraguayo
b. chipá	**2.** caldo con maíz
c. mbeyú	**3.** aborígenes
d. typoi	**4.** blusa bordada a mano
e. base de la gastronomía	**5.** pan muy elaborado
f. borí borí	**6.** mandioca
g. Roque Santa Cruz	**7.** tortilla

2. ¿Verdadero o falso?

                 V   F

a. El traje típico del hombre paraguayo incluye pantalones verdes. ☐ ☐

b. Los encajes decoran sábanas y cortinas. ☐ ☐

c. Los paraguayos se saludan a menudo en guaraní. ☐ ☐

d. En Paraguay, el mate se toma siempre caliente. ☐ ☐

e. El ñandutí, palabra guaraní, significa "hilos sagrados". ☐ ☐

3. Complete el texto con las palabras adecuadas.

Durante la guerra contra Bolivia, para no hacer fuego y advertir al enemigo, los paraguayos tomaban sus infusiones con agua fría: así nace el _____. Le agregaban hierbas como _____.

4. Conteste las preguntas.

a. Cite un dulce paraguayo.

....

b. ¿Qué puede decir sobre el carácter del hombre o de la mujer paraguayos?

....
....

c. ¿Desde cuándo se corre el Trans-Chaco Rally?

....
....

¡A jugar!

A finales de junio se celebra en todo Paraguay la tradicional **Fiesta de San Juan**, con muchos juegos para niños y adultos. El más popular consiste en quitarse los zapatos y caminar sobre brasas encendidas. También suben a un palo alto cubierto de jabón, corren carreras en bolsas, juegan con pelotas de fuego (pelota tata) y los niños corren delante del toro candil, un toro que lleva antorchas en sus cuernos. La fiesta de San Juan es, sin duda, una de las más importantes y de las más celebradas por los paraguayos.

Festival de teatro juvenil

Este festival se repite todos los años en diferentes ciudades paraguayas. Reúne a actores y actrices independientes, de entre 15 y 20 años. Llegan de todos las ciudades del país para mostrar sus obras.

Un santo que viaja en canoa

En la ciudad de San Antonio, al suroeste de Paraguay, se celebra cada mes de junio la fiesta del Santo Patrono de la ciudad. Es una celebración muy curiosa, porque después de la misa se realiza una procesión de canoas por el río Paraguay, llevando la imagen de **San Antonio de Padua**. Todo se decora con globos y flores de colores brillantes.

Ritual de agosto

Agosto es considerado el mes en que mueren las vacas flacas y los ancianos. Es el mes de las desgracias y la mala suerte. Para conjurar sus efectos, cada 10 de agosto los paraguayos toman unos sorbos de carrulim, una bebida hecha con caña, ruda (planta) y limón, bebida mágica de los guaraníes para evitar los males, fortalecer el cuerpo y alejar a la muerte. El 1 de agosto, por lo general, no se trabaja.

A caballo

En Paraguay hay varios festivales donde destaca la presencia del caballo. Los jinetes demuestran sus habilidades en el **Festival de la Doma y Folclore** en Santiago, la **Fiesta de la Tradición y el Folclore** en Laureles y la gran **Fiesta de la Tradición Misionera** en Misiones.

Llegan los Reyes

Las celebraciones en honor de los Reyes Magos son muy importantes en el pueblo de **Carayaó**. La fiesta comienza unos días antes del 6 de enero, con una espectacular corrida de toros. También hay jineteadas, puestos de comidas típicas, lugares para bailar y venta de artesanías; y por la noche, atracciones para los niños.

Cuatro días más tarde, la fiesta termina con una misa y una procesión con la imagen de San Gaspar, uno de los tres Reyes Magos.

Actividades

1. Relacione las fiestas con un elemento que las caracteriza

a. San Juan	**1.** adolescentes
b. Reyes Magos	**2.** corrida de toros
c. San Antonio	**3.** canoas
d. 1 de agosto	**4.** caballos
e. Fiesta de la Doma y Folclore	**5.** carrulim
f. Festival de teatro juvenil	**6.** pelota tata

2. Busque en esta sopa de letras cinco palabras relacionadas con las fiestas y festivales de Paraguay.

P	H	G	F	D	G	H	J	H
R	J	U	E	G	O	S	I	G
O	W	A	S	D	F	D	N	B
C	A	R	A	Y	A	O	E	V
E	Z	X	Z	C	D	F	T	N
S	T	E	A	T	R	O	E	N
I	C	D	Ñ	L	L	L	A	M
O	C	F	M	K	K	Ñ	D	L
N	V	B	N	M	I	D	A	Ñ

3. Elija la opción correcta.

a. El carrulim es

☐ una bebida mágica de origen español

☐ una bebida mágica de origen guaraní.

☐ un juego para niños

b. Agosto es el mes de ...

☐ las procesiones por el río.

☐ la muerte y la mala suerte.

☐ la llegada de los Reyes Magos.

c. Una jineteada es...

☐ una comida típica.

☐ una celebración muy pintoresca.

☐ una exhibición de caballos.

Misiones

La cultura paraguaya no puede entenderse sin los indígenas guaraníes y los jesuitas. Los primeros reciben la evangelización de los jesuitas a partir de 1604 y pasan a vivir en grandes reducciones o misiones. La riqueza de estas reducciones se basaba en una próspera producción agrícola y artesanal. Esta situación empieza a quitar mano de obra esclava a los bandeirantes de Brasil, lo que termina con la enemistad del rey contra los jesuitas, su expulsión y la destrucción de las misiones. La película *La Misión* (1986), con los actores Jeremy Irons y Robert De Niro, cuenta esta historia.

Arte original: el vídeo

En los años 80, con la llegada del vídeo portátil, se inicia en Paraguay una época activa de cortometrajes.

En 1990, Hugo Gamarra estrena un largometraje de ficción realizado en vídeo: *El secreto de la señora*. También es importante citar la película *Miss Ameriguá* (1994), producción que reúne el trabajo de los primeros cineastas paraguayos formados en la Escuela Internacional de Cine y Televisión de San Antonio de los Baños, Cuba.

Música paraguaya

La forma más típica es la **polca** paraguaya (género musical y de danza), con ejemplos como la conocida *Pájaro campana,* de Félix Pérez Cardoso. Le sigue en popularidad la **guarania**, ritmo más lento. La guitarra y el arpa son los instrumentos para esta música. Los intérpretes y compositores de música académica son igualmente numerosos.

El supremo narrador

El escritor paraguayo que mayor fama mundial ha alcanzado es **Augusto Roa Bastos** (Premio Cervantes de Literatura en 1989 e integrante del "boom" latinoamericano), creador de novelas como *Yo el Supremo*. Esta novela fue estrenada en el teatro por **Agustín Núñez,** el director de teatro paraguayo más prestigioso de la actualidad.

Los nuevos

En las últimas décadas surgen otros narradores de calidad, como Helio Vera, Sara Karlik y Guido Rodríguez Alcalá, entre otros. La literatura en español convive con los poemas míticos rescatados, de la tradición oral guaraní y con piezas teatrales contemporáneas en la misma lengua.

Luz y color

El grupo de artistas plásticos "Arte Nuevo", creado en 1954 y compuesto por Josefina Plá, Lilí del Mónico, José Laterza Parodi, Olga Blinder, marcó una ruptura con las formas académicas.

En las décadas de los 60 y 70 florecen las artes plásticas con artistas que supieron reflejar rasgos profundos de la cultura paraguaya, como **Carlos Colombino** con sus xilopinturas ("xilo"= madera) o Ricardo Migliorisi, que pinta su época como un carnaval lleno de color.

Actividades

1. Tache las palabras que no están relacionadas con la música paraguaya.

OLGA BLINDER - POLCA - XILOPINTURA - GUITARRA
GUARANIA – ROA BASTOS – PÁJARO CAMPANA

2. Conteste las preguntas.

a. Cite dos actores famosos que actúan en la película *La Misión.*

....

....

b. ¿Qué artistas plásticos son especialmente significativos y por qué?

....

....

d. ¿Quién dirigió la primera versión teatral de *Yo, el Supremo?*

....

....

3. Relacione las palabras con sus definiciones.

a. bandeirantes

b. Yo el Supremo

c. Miss Ameriguá

d. xilopintura

1. Película del nuevo cine paraguayo.

2. Esclavistas invasores venidos de Brasil.

3. Pintura realizada sobre madera.

4. Novela paraguaya.

4. Encuentre en esta sopa de letras los nombres de cuatro artistas y escritores paraguayos.

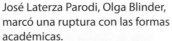

A	B	D	F	K	G	F
P	L	A	M	A	M	G
T	I	R	L	R	B	B
R	N	E	K	L	N	B
R	D	R	J	I	G	N
F	E	Y	Y	K	B	N
D	R	T	V	E	R	A

El lapacho es el árbol nacional de Paraguay. La corteza de este árbol se utiliza como infusiones para diferentes enfermedades.

Circuito central

Partiendo de la capital, Asunción, se llega a la ciudad de **Itá**. Allí se fabrica una bellísima cerámica que ha merecido premios internacionales. De aquí, el paseo puede continuar por la ciudad de **Yaguarón**, donde el templo de estilo barroco hispano-guaraní representa una de las mayores joyas arquitectónicas de las misiones franciscanas. Hacia el este, encontramos **Piribebuy**, conocido por sus tejidos. Por la ruta II se llega a la ciudad de **Caacupé**, la capital religiosa de Paraguay, donde se adora a la virgencita morena cada 8 de diciembre. Luego se pueden visitar las ciudades de **Ypacaraí**, **San Bernardino** y **Areguá**, junto al lago Ypacaraí.

La naturaleza plena

Paraguay cuenta con 40 áreas silvestres protegidas. La principal es el **Parque Nacional Defensores del Chaco** y en la misma Región Occidental se encuentran otros parques como el del **Cerro Guaraní Timané**, el de **Laguna Inmakata** y el **Parque Nacional Río Negro**. Entre las reservas de la Región Oriental se puede nombrar la del Bosque Mbaracayú. Todavía se puede ver en su hábitat al yaguareté (jaguar), el puma, el tapir, el yacaré (un tipo de cocodrilo sudamericano), el ciervo de los pantanos y algunos animales en vías de extinción como el aguará guazú (un zorro de largas patas) y el pato serrucho. Por otra parte, Paraguay es llamado el jardín del mundo: cuenta con **300 especies de árboles nativos** y numerosas hierbas medicinales.

Actividades

1. Elija la opción correcta.

a. Itá es...

☐ una laguna.
☐ una ciudad.
☐ una reserva natural.

b. El templo de Yaguarón es de estilo...

☐ barroco hispano-guaraní.
☐ barroco francés.
☐ colonial.

c. La capital religiosa de Paraguay está en...

☐ Caacupé.
☐ San Bernardino.
☐ Asunción.

d. De Piribebuy a Caacupé se toma la ruta...

☐ B.
☐ II.
☐ 66.

e. La reserva del Bosque Mbaracayú está en...

☐ la Región Oriental.
☐ la Región Occidental.
☐ la Región Sur.

2. ¿Qué lugares de Paraguay le recomendaría a una persona interesada en la historia y la cultura?

....

....

3. Nombre tres especies animales típicas de Paraguay.

....

....

4. Encuentre el lugar correcto.

a. – – – – – – – –: se trata de un lago.

b. – – – – – – – –: capital del país.

c. – – –: allí, se fabrica una cerámica muy bella.

d. – – – – – – – – –: allí, hay preciosos tejidos.

COLOMBIA

ECUADOR

Chachapoyas

Chiclayo

Trujillo

BRASIL

OCÉANO PACÍFICO

Lima

Callao • Huancayo

Cusco

BOLIVIA

Arequipa

CHILE

Lima

En la actualidad es una ciudad mezcla del esplendor de su pasado con los avances de los tiempos modernos. **Barranco**, barrio bohemio de la ciudad, es famoso por su ambiente cultural, sus bares y restaurantes.

El conquistador Francisco Pizarro fundó Lima, la capital peruana, en 1535, con el nombre de Ciudad de los Reyes.

Civilizaciones muy antiguas

Hace más de cinco mil años, la civilización **caral** se instaló a 120 km al norte de Lima. Le suceden civilizaciones como la **moche, lima, nazca, wari** y **tiwanaku**. En el siglo XI se instalan los incas, quienes llegan a formar el imperio más grande de América: todos los territorios andinos, desde el sur de Colombia hasta el centro de Chile. A pesar de su inmenso poder, las tropas españolas al mando de Francisco Pizarro los derrotan en 1533, comenzando el período colonial. Perú se independiza de España en 1821.

Datos del país

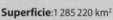

Superficie: 1 285 220 km²

Población: 29 546 963 habitantes.

Capital: Lima.

Ciudades importantes: Callao, Arequipa, Trujillo, Chiclayo, Cusco.

Moneda: Nuevo Sol (PEN).

Forma de gobierno: República.

Balcones de ensueño

En el centro histórico de Lima –declarado Patrimonio de la Humanidad– hay muchísimos balcones de la época colonial.

Perú se divide en tres grandes regiones naturales: al oeste, la costa, una franja estrecha y desértica junto al océano Pacífico. Allí se encuentra Lima.
En el centro, la sierra, en la cordillera de los Andes. Presenta increíbles paisajes montañosos y alberga las maravillosas ruinas de Machu Picchu, la ciudad perdida de los incas. Al este, la selva amazónica, con gran variedad de flora y fauna; ocupa casi el 61% del territorio peruano.

Vicuñas, llamas y alpacas

Típicos de Perú, estos animales son importantes para la economía del país, ya que dan una excelente lana con la que se hace ropa de abrigo para el frío.

Riquezas de la Madre Tierra

El clima y la tierra han convertido a Perú en fuente de innumerables alimentos, de gran valor alimenticio. La papa o patata nació en el territorio peruano. Actualmente se cultivan cuarenta mil variedades. Además, Perú tiene quince especies de tomates, treinta y cinco de maíz, 650 especies de frutas autóctonas, maca –planta de los Andes considerada como el alimento más fortificante del mundo– y dos mil especies de pescado de mar y de río.

Actividades

1. Conteste las preguntas.

a. ¿Cuáles son las tres regiones que forman el territorio peruano?

....

....

b. Observe el mapa. ¿En cuál de las tres regiones se encuentra Lima?

....

....

c. ¿Cuándo se instala la civilización caral en el norte de Lima?

....

....

d. ¿Cuál fue el imperio más grande de América?

....

....

e. ¿En qué zona de la capital peruana se encuentran los balcones coloniales?

....

....

f. ¿Qué animales proporcionan lana al país?

....

....

g. ¿Qué alimento, de gran popularidad en todo el mundo, tiene su origen en Perú?

....

....

h. ¿Cuántas variedades de papa (patata) se cultivan en el país?

....

....

i. ¿Cuántos tipos de maíz se producen en Perú?

....

....

2. Complete con la palabra correspondiente.

a. ....: fundador de la Ciudad de los Reyes.

b. ....: alimento más fortificante del mundo.

c. ....: animales típicos de Perú.

d. ....: ocupa casi el 61% del territorio peruano.

Comer al paso

En las grandes ciudades peruanas hay muchísimas **carretillas** con cocinas portátiles donde se puede comer en plena calle. Es posible almorzar el popular **chaufa**, de origen oriental, al que se añade **sillau** (salsa de soja).

Restaurantes cinco estrellas

En Perú existen restaurantes muy prestigiosos, que preparan versiones *gourmet* de la típica cocina peruana. Por ejemplo, **La Mar**, **O** y **Pescados Capitales**. El cocinero más conocido es **Gastón Acuario Jaramillo**, quien prestó su voz para la versión en español de la película *Ratatouille*.

Bebidas

Hay muchas bebidas típicas de Perú, como la **chicha de jora** (el vino de los incas, hecho con maíz fermentado). Se pueden tomar infusiones calientes como la de **quinua** o el **emoliente** (infusión de hierbas), de origen precolombino. También se puede probar el **7 colores**, un pequeño plato donde conviven casi todas las influencias gastronómicas de Perú.

Cocina peruana

La gastronomía de Perú es una mezcla de influencias precolombinas, africanas, europeas y orientales. El plato más representativo es el cebiche, hecho con pescado crudo y limón, y su versión moderna: el tiradito, cruce del cebiche con el sashimi japonés. Lima es la capital gastronómica de América.

...y diversión

Los jóvenes salen mucho: jueves por la noche, viernes (llamado sábado chico), y sábado. Se puede asisitir a las **peñas criollas** (locales donde se canta y baila música afroperuana, **valses**, **polcas**, etc.). También se baila salsa en los salsódromos o se va a los numerosos karaoke-pubs. Un baile muy popular entre los jóvenes de hoy es el perreo, un *reggaetón* muy atrevido.

Trabajo

El salario medio no es muy alto. Por este motivo muchos peruanos emigran a otros países, en busca de mejores condiciones laborales.

Deportes

El vóley es muy popular. Los chicos y chicas cuelgan una red entre dos aceras, en calles con poco trafico, y practican allí. **Cecilia Tait** es la primera suramericana en entrar en el Salón de la Fama del Vóley. El fútbol también tiene muchos seguidores. Los equipos más conocidos son **Alianza Lima** y la **U** (Universitario de Deporte).

Los peruanos

La población peruana es de origen multiétnico, con un alto grado de mestizaje. Incluye nativos americanos, europeos, africanos y asiáticos. De ahí la diversidad de la comida y la cultura del país.

La mujer peruana

Tradicionalmente cocina, atiende a la familia y cuida la casa. En el campo, también se dedica desde siempre a trabajar la tierra. En el siglo XX, la mujer empieza a estudiar, y hoy en día hay muchas profesionales. Las campesinas suelen emigrar a las ciudades para trabajar como personal doméstico. Si no consiguen trabajo dentro de una casa, se dedican a la venta ambulante de comida.

Actividades

1. Relacione cada comida con su definición.

a. emoliente **b.** cebiche **c.** tiradito **d.** sillau
e. 7 colores

☐ Plato a base de pescado crudo y limón.

☐ Salsa de soja.

☐ Infusión de hierbas.

☐ Cruce del cebiche con el sashimi japonés.

☐ Plato que incluye casi todas las influencias gastronómicas de Perú.

2. Elija la opción correcta.

a. ¿Qué es el "sábado chico"?

☐ Sábado por la tarde.

☐ Viernes por la noche.

☐ Actividades para niños.

b. ¿Qué es *La Mar*?

☐ La playa de Lima.

☐ Un plato típico.

☐ Un restaurante famoso.

c. ¿Por qué emigran muchos peruanos?

☐ Por cuestiones políticas.

☐ Por cuestiones laborales.

☐ Por problemas de salud.

3. Conteste las preguntas.

a. ¿Cuáles son las ocupaciones habituales de las mujeres campesinas? ¿Y cuando van a vivir a las ciudades?
....
....

b. Nombre un famoso cocinero peruano.
....

c. ¿Qué puede decir sobre la población peruana?
....
....

d. Cite una bebida típica de Perú.
....

e. ¿Cuáles son los deportes más populares del país?
....

Procesión del Señor de los Milagros

El 18 y 19 de octubre se celebra en Lima una de las procesiones católicas más multitudinarias del mundo. Miles de peregrinos, procedentes de distintas regiones de Perú, se visten de violeta y van hasta el **Santuario de las Nazarenas**, en el barrio de Pachacamilla, donde se conserva una antigua pintura de Cristo, realizada alrededor de 1650 por un esclavo de Angola. Muchos son los milagros que, a lo largo de los siglos, le atribuyen a esta imagen; entre ellos, el haber sobrevivido a terremotos y maremotos. Por estas fechas, es tradición consumir el **turrón de Doña Pepa**, un dulce preparado con miel.

Inti Raymi o Fiesta del Sol

Es la celebración más importante de los incas, que adoraban al Sol. Los conquistadores españoles la prohibieron, pero los incas la siguieron celebrando en secreto. Desde 1944, esta magnífica fiesta se vuelve a celebrar cada 24 de junio –solsticio de invierno– en **Cusco**. La antigua celebración se reconstruye con trajes tradicionales y repite con todo detalle estos rituales milenarios.

La Quitañaca

Las familias celebran el primer cumpleaños y el Bautismo de los niños el mismo día. Si el niño tiene el pelo un poco largo, se le hacen muchas trencitas. Después de la ceremonia religiosa, cada uno de los familiares y amigos puede cortar una trencita a cambio de algo de dinero para el niño. Esta trencita tiene que conservarse como recuerdo y como amuleto para tener buena suerte.

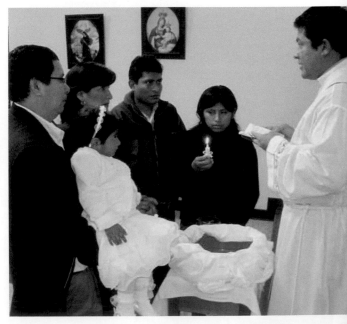

El fin del luto

Cuando muere un familiar cercano, es habitual vestirse de negro durante un año. En la ciudad de **Huancayo**, cuando termina del período de luto, los parientes del difunto deben saltar por encima de un fuego antes de volver a usar la ropa habitual.

Día de la Independencia

El **28 de julio, Perú** festeja su independencia de España con un tradicional y colorido desfile militar, muy popular. Ese día, en cada pueblo, se hacen peleas de gallos, corridas de toros y exhibiciones de los famosos **caballos de paso** peruanos.

Fin de año

Se celebra con mucho entusiasmo y muchas supersticiones. El color típico de esta fecha es el amarillo: todo se decora en **amarillo** y se utiliza ropa interior amarilla, para asegurarse felicidad. Si la persona quiere tener un año nuevo con muchos viajes, tiene que salir a la calle con una maleta justo cuando dan las doce de la noche. Si una mujer quiere conseguir marido, el primer abrazo del año nuevo tiene que dárselo a un hombre. Para ganar mucho dinero, es necesario recibir un billete de regalo, cogerlo con la mano izquierda y mantenerlo allí, bien doblado, durante una hora. El billete debe guardarse y no gastarse nunca.

Actividades

1. ¿En qué meses tienen lugar las siguientes fiestas?

a. Procesión del Señor de los Milagros.

....

b. Inti Raymi.

....

c. Día de la Independencia.

....

d. Fin de año.

....

2. ¿Verdadero o falso?   V   F

a. El turrón de Doña Pepa es un dulce que se consume especialmente durante la Procesión del Señor de los Milagros.   ☐ ☐

b. El violeta es el color típico de las fiestas de Fin de Año.   ☐ ☐

c. La Quitañaca se celebra cuando un niño cumple quince años.   ☐ ☐

3. Elija la opción correcta.

a. El período de luto suele durar...

☐ un mes.

☐ seis meses.

☐ un año.

b. La Fiesta del Sol se celebra...

☐ en el solsticio de verano.

☐ en el solsticio de invierno.

☐ entre Navidad y Año Nuevo.

4. Complete los textos con las siguientes palabras.

DEVOTO - PASO - MALETA

a. Los caballos de _____ peruanos descienden de los primeros caballos traídos por los conquistadores españoles.

b. Mi padre es muy _____ de Santa Rosa de Lima y del Señor de los Milagros.

c. A las 12 en punto, voy a tomar mi _____ y voy a dar una vuelta. Quiero conocer Europa este año.

La flor de la canela

Las canciones más conocidas de Perú son probablemente *El cóndor pasa* y *La flor de la canela*. La primera, del compositor **Daniel Alomía Robles**, se compuso en 1913. Su melodía es muy conocida en todo el mundo. Hasta el célebre músico norteamericano Paul Simon tiene una versión de *El cóndor pasa*, titulada *If I could*. *La flor de la canela* es un hermoso vals peruano de **Chabuca Granda**. La canción describe a una bella joven limeña que pasea por la ciudad dejando a su paso un perfume inolvidable.

CHABUCA GRANDA canta a CHABUCA GRANDA

la flor de la canela

el dueño ausente

quizás un día así

coplas a fray martin

Muchos son los compositores e intérpretes de la música tradicional del Perú: **Dina Paucar, José Contreras Párraga,** autor de inolvidables festejos (ritmos) como *Quién se comió a mi gato* o **Lucila Campos de la Colina,** entre otros.

Escritores

Manuel Ricardo Palma Soriano (1833-1918). Escritor y periodista limeño. En 1872 publica con éxito su obra *Tradiciones Peruanas*. Es una figura reconocida dentro y fuera de su país.

César Vallejo (1892-1938). Uno de los grandes innovadores de la poesía del siglo XX, autor de *Los heraldos negros, Trilce* y *Poemas humanos*.

Mario Vargas Llosa (1936-). Importante novelista y ensayista contemporáneo. Político, periodista y dramaturgo, salta a la fama en los años 60, con novelas como *La ciudad y los perros* y *La casa verde,* entre otras. Le concedieron el Premio Nobel de literatura en 2010.

Música fusión

En las últimas décadas se ha producido el *boom* de la música fusión, con bandas como Los Hijos del Sol (música criolla y *jazz*), Perujazz (afroperuana, andina y *jazz*), Miki González (afro, *rock* y más) y Novalima (afroperuana), muy conocidos internacionalmente.

Cine

Una de las figuras más importantes del cine peruano es **Francisco Lombardi,** que dirigió, entre otras películas, *Pantaleón y las visitadoras,* inspirada en una novela de Mario Vargas Llosa.

Gustave Eiffel

Muchas son las obras de ingeniería diseñadas por el célebre ingeniero francés **Eiffel**. Por ejemplo, en Arequipa, el Puente Bolívar, la estación de ferrocarril, el Teatro Fénix y el Mercado San Camilo. En Tacna y Chiclayo, las Catedrales. Y en Iquitos, la Casa de Fierro.

Museos

En cada pueblo y ciudad de Perú hay museos o casas-museo dignos de ser visitados. En Lima destaca el **Museo Nacional de Arqueología, Antropología e Historia**.

En el **Museo de Arte de Lima** es posible apreciar piezas de arte que van desde las culturas preincaicas hasta la actualidad.

En Santiago de Chuco, cerca de Trujillo, se puede visitar la **casa del poeta César Vallejo**.

Actividades

1. Conteste las preguntas.

a. ¿Cuál es la canción más popular de Chabuca Granda? ¿A qué género musical pertenece?

....

....

b. ¿Cómo se llama la versión en inglés de *El cóndor pasa*, realizada por Paul Simon?

....

....

c. ¿Qué géneros musicales fusiona el grupo Perujazz?

....

....

2. Los fragmentos siguientes pertenecen a dos canciones diferentes que se mencionan en estas páginas. Escriba sus títulos según corresponde.

a. ....

Del puente a la alameda menudo pie la lleva,
por la vereda que se estremece al ritmo
de sus caderas.

b. ....

¡Oye, mulato…!
¿Quién se comió a mi gato?
Dicen que fue Calón,
un negro flaco.

3. Conteste las preguntas.

a. Escriba los títulos de tres obras de la literatura peruana.

....

....

b. ¿Qué personaje de la cultura francesa tiene relación con la cultura peruana?

....

c. ¿Qué museo peruano le gustaría conocer? ¿Por qué?

....

....

d. ¿En qué novela del escritor Mario Vargas Llosa se inspiró Francisco Lombardi para una de sus películas?

....

Por Lima, al aire libre

Andar por Lima en un día de sol es una experiencia única. Caminando por la calle peatonal Girón de la Unión se llega a la Plaza de Armas. Allí se observa una importante arquitectura barroca. Se puede pasear por la Avenida Larco, que nace junto al mar, y llegar a la plaza central del barrio de Miraflores. Una vez allí, hay que visitar la Calle de las Pizzas, un alegre rincón lleno de pubs, karaokes y restaurantes.

El Camino del Inca

Está situado en el corazón de los Andes peruanos, entre Cusco, capital del antiguo Imperio Inca, y las ruinas de Machu Picchu, del siglo XV. Se trata de una red de caminos construidos durante el Imperio Inca, que terminan en la ciudad de Cusco. Miles de turistas de todo el mundo emprenden la aventura de hacer este recorrido. A lo largo del camino es posible apreciar la naturaleza selvática de la sierra peruana, observar las ruinas de fortificaciones prehispánicas, y atravesar altiplanicies y valles, llegando a una altura de 4 200 m sobre el nivel del mar.

Entrada triunfal

Después de un difícil, pero apasionante camino de varios días, se entra en las ruinas de Machu Picchu a través del Inti Puncu (Puerta del Sol). Los investigadores suponen que estas ruinas fueron un centro religioso o tal vez un palacio de descanso construido para el Inca. Machu Picchu es Patrimonio de la Humanidad desde 1983.

Desde el aire

En el sur del Perú es posible sobrevolar las impresionantes **líneas de Nasca**. Se trata de unos gigantescos dibujos que solo pueden apreciarse desde el aire. Fueron realizados hace unos 1500 años por los nascas, un pueblo prehispánico que habitaba esta región, con el objetivo de que fueran vistos desde el cielo por sus dioses.

Amazonas

Maravillosos bosques de neblinas caracterizan a esta región, donde vivieron los chachapoyas, un pueblo preincaico. Aquí puede visitarse la ciudadela de **Kuélap**, la ciudad de **Chachapoyas**, la **Laguna de los Cóndores** o **de las Momias**, la **catarata la Chinata** y los **Sarcófagos de Karajía**, magníficas tumbas de barro de dos metros de alto.

Actividades

1. Elija un recorrido y justifique la elección.

....
....
....
....
....
....

2. Conteste las preguntas.

a. ¿Cuáles de los siguientes nombres corresponden a sitios turísticos de Perú?

GUADALAJARA - SUCRE - CHACHAPOYAS - POTOSÍ - CAYO LARGO - CHINATA - MIRAFLORES - MEDELLÍN - NASCA

b. ¿Qué antigüedad tienen las líneas de Nasca?

....

c. Cite tres lugares que se pueden visitar en la región de Amazonas.

....
....

d. ¿Cómo se llamaba el pueblo preincaico que vivió en Amazonas?

....
....

e. Según los expertos, ¿qué era Machu Picchu?

....
....

f. ¿Cómo se llama la puerta que permite entrar en las ruinas de Machu Picchu?

....
....

> **Se llama Puerto Rico porque del Puerto de San Juan salían muchas riquezas para España.**

OCÉANO ATLÁNTICO

San Juan
Arecibo
Bayamón • • Carolina
Culebra
Caguas •
Mayagüez
Vieques
• Ponce
Isla de Caja
de Muertos
Mar Caribe

Datos del país

Superficie: 13 790 km²

Población: 3 971 020 habitantes.

Capital: San Juan.

Ciudades importantes: Bayamón, Ponce, Carolina, Caguas.

Moneda: Dólar (USD).

Forma de gobierno: Estado libre asociado a Estados Unidos.

Puerto Rico es un pequeño país situado en el noroeste del golfo de México. Está formado por la isla principal de Puerto Rico y algunas islas más pequeñas como Vieques, Culebra y Mona. Oficialmente es un Estado Libre Asociado a los Estados Unidos. Es decir, los puertorriqueños son también ciudadanos estadounidenses y poseen casi los mismos derechos. El español es la lengua predominante en Puerto Rico, pero el inglés también es idioma oficial desde 1993.

Algunos platos puertorriqueños
Mofongo relleno
El ingrediente principal del mofongo es el **plátano verde frito**. Se puede rellenar de carne, pescado o marisco, pero lo más frecuente es el pollo.

Un plato de Cuaresma
En países de tradición católica es típico no comer carne durante la Cuaresma. Por eso, muchas personas cocinan platos con pescado. La **serenata de bacalao** es un plato típico de Puerto Rico que lleva aceite de oliva, patatas, cebolla, tomate, huevos y, por supuesto, bacalao.

Economía y emigración
Aunque la economía de Puerto Rico es una de las más dinámicas de América Latina, muchos puertorriqueños salen de la isla para ir a Estados Unidos, donde ya hay 4,3 millones de ellos. Algunas de las industrias más importantes de Puerto Rico son las **farmacéuticas**, las **petroquímicas**, las **electrónicas** y las **textiles**.

Piragüero
El **piragüero** es una figura conocida en todo Puerto Rico porque vende algo que le gusta a todo el mundo: las **piraguas**, refrescos hechos con zumos de fruta y hielo granizado.
¡Una verdadera delicia!

Los taínos

Los **taínos** fueron los primeros habitantes de Puerto Rico. Cultivaban yuca, cacahuete, algodón, piña, tabaco… Todavía se conservan algunas de sus costumbres, como el **areyto,** un festival de música y danza con canciones que cuentan episodios de la historia indígena de Puerto Rico.

La lengua española contiene muchas palabras de origen taíno: *canoa, caribe, hamaca, huracán, tiburón,* etc.

Las parrandas

La **parranda** es una antigua costumbre navideña que se celebra en diferentes zonas del Caribe. La gente va de casa en casa cantando villancicos (cantos de Navidad) a cambio de comida y bebida.

Fiestas de San Sebastián

En la tercera semana de enero, las calles del Viejo San Juan se llenan de gente para celebrar las fiestas de San Sebastián.

Hoy en día esta fiesta es muy popular porque los puertorriqueños salen a la calle para ver a los **cabezudos** (muñecos grandes) y para disfrutar de la música y el baile caribeños.

Fiestas de Loiza Aldea

En Loiza Aldea se celebran cada mes de julio las fiestas en honor a **Santiago Apóstol**. Durante esos días hay procesiones con imágenes del santo, pero también esta fiesta tiene una mezcla de tradiciones españolas y africanas. La careta de **vejigante**, hecha de coco y con colores fuertes, es uno de los elementos más típicos.

Actividades

1. Conteste las preguntas.

a. ¿Cuál es el origen del nombre Puerto Rico?

....

....

b. ¿Cuáles son las lenguas oficiales del país?

....

....

c. ¿Cuáles son las industrias más importantes?

....

....

d. ¿En qué época del año es típico comer serenata de bacalao?

....

....

2. ¿Verdadero o falso?

	V	F
a. La capital de Puerto Rico es Don Juan.	☐	☐
b. El ingrediente principal del mofongo es el arroz.	☐	☐
c. El areyto es un festival de música de origen taíno.	☐	☐
d. Las palabras *canoa* y *tiburón* son de origen taíno.	☐	☐

3. Relacione las fiestas con un elemento que las caracteriza.

a. Santiago   **1.** cabezudos

b. Navidad   **2.** vejigantes

c. San Sebastián   **3.** parrandas

4. Busque la palabra que corresponde.

a. _____: bebida preparada con zumo de fruta y hielo granizado.

b. _____: moneda de Puerto Rico.

c. _____: isla principal de Puerto Rico.

d. _____: primeros habitantes de Puerto Rico.

Pintores de renombre

Francisco Oller (Bayamón, 1833 - San Juan de Puerto Rico, 1917) es uno de los pintores más destacados de Puerto Rico. Su cuadro *El velorio* se caracteriza por la maravillosa combinación de colores. El cuadro muestra una baquiné, fiesta que se celebra cuando un niño muere porque se cree que va al cielo.

Antonio Martorell no es solo un famoso pintor puertorriqueño, también es escritor y presentador de radio y televisión. En 1967 recibió un premio del Instituto Americano de Artes Plásticas por su trabajo de diseño y edición del libro *ABC de Puerto Rico*.

Instrumentos de música puertorriqueña

Güiro: instrumento de percusión de origen indígena. Está hecho con una higuera hueca y tiene incisiones horizontales y paralelas.

Cuatro: guitarra con cinco cuerdas dobles, derivada de la guitarra española.

Puertorriqueños famosos

Benicio del Toro es un actor con mucho talento. El Óscar que recibió por la película *Traffic* lo ha convertido en uno de los actores más conocidos en el mundo entero.

Una de sus últimas películas es *Che: guerrilla,* en donde Benicio interpreta a Ernesto Che Guevara.

Otros puertorriqueños internacionales son **Chayanne**, **Jennifer López**, **Marc Anthony**, **Ricky Martin**…

Literatura

La guaracha del macho Camacho, de **Luis Rafael Sánchez**, significó el comienzo de un nuevo tipo de escritura en la literatura puertorriqueña.

El Morro

Esta fortaleza, construida desde el siglo XVI hasta principios del siglo XX, tiene una arquitectura impresionante.

Es el sitio más fotografiado de Puerto Rico.

De viaje por las islas: Vieques y Culebra

Vieques es una isla de 9 500 habitantes, a 10 km de la isla de Puerto Rico. La naturaleza de Vieques ofrece grandes lagunas y arrecifes de coral. Vale la pena visitar el maravilloso espectáculo que ofrece la **Bahía Bioluminiscente de Mosquito**. Allí se concentran un gran número de microorganismos que cuando se mueven producen espectaculares efectos de luz. También se pueden realizar deportes acuáticos y submarinismo.

Culebra es un archipiélago que está a 27 km al este de la isla de Puerto Rico; es conocido también por el nombre de "Isla Chiquita". Su capital es Dewey y 2 000 personas viven allí todo el año. **Playa Flamenco** está considerada internacionalmente como una de las cinco playas más hermosas del mundo.

La isla cuenta con un importante **Refugio de Aves** creado por el presidente estadounidense Theodore Roosevelt.

Algunas de las actividades más populares son: buceo, pesca, kayak, surf y windsurf y, por supuesto, observar la vida animal de las tortugas, las lagartijas anolis y la famosa rana coquí en el **Refugio de Vida Silvestre Nacional de Culebra**.

El Observatorio de Arecibo

Tiene uno de los telescopios más grandes del mundo que permite observar y estudiar fenómenos de gran interés.

Actividades

1. Relacione los nombres con la especialidad del artista.

a. Benicio del Toro   **1.** música

b. Ricky Martin   **2.** pintura

c. Francisco Oller   **3.** literatura

d. Luis Rafael Sánchez   **4.** cine

2. Conteste las preguntas.

a. ¿Qué es *El velorio*?

....
....

b. ¿Cuál es la playa más famosa de Culebra?

....
....

c. ¿Qué actividades se pueden hacer en Culebra y Vieques?

....
....

d. ¿Qué es un güiro?

....
....

e. ¿Qué personaje histórico interpreta Benicio del Toro en una de las películas en las que ha actuado?

....
....

f. ¿Qué nombre lleva la guitarra de cinco cuerdas dobles típica de Puerto Rico?

....
....

g. Antonio Martorell, además de ser pintor, realiza otras actividades. ¿Cuáles son ?

....
....

3. Relacione.

a. Refugio de Aves   **1.** Arecibo

b. Bahía Bioluminiscente   **2.** Culebra

c. Fortaleza   **3.** Vieques

d. Observatorio   **4.** El Morro

OCÉANO ATLÁNTICO

Puerto Plata

• Santiago

HAITÍ

Santo Domingo

Punta Cana

La Romana

San Pedro de Macorís

Isla Saona

Isla Beata

Mar Caribe

¿Cómo son los dominicanos?

Los hombres son un poco machistas, es fácil verlos jugar al dominó y bebiendo cerveza o ron. Les encanta el béisbol y hacer apuestas. Los campesinos son muy pobres, y en su mayoría, analfabetos. Hay retretas (conciertos de bandas municipales en las plazas), serenatas de enamorados y se dicen piropos (frases elogiosas) a las mujeres.

" Los dominicanos son hospitalarios, supersticiosos, amantes de la familia y alegres. "

Opresión y libertad

Los dominicanos aman la libertad. El primer indígena que se rebeló y luchó contra España, llamado **Enriquillo**, prefirió morir antes que perder su libertad. Los dominicanos se independizaron primero de España en 1821 y luego de Haití, en 1844. Entre 1930 y 1961 sufren la dictadura de **Trujillo,** y luego de otros gobiernos autoritarios, hasta que en 1978 recuperan la democracia.

Datos del país

Superficie: 48 670 km²

Población: 9 650 054 habitantes.

Capital: Santo Domingo.

Ciudades importantes: Santiago, La Romana, San Pedro de Macorís, Puerto Plata.

Moneda: Pesos dominicanos (DOP).

Forma de gobierno: República.

El 12 de octubre de 1492, Cristóbal Colón llegó a América. El 6 de diciembre desembarcó en una isla caribeña llamada Quisqueya por los nativos, y que él llamó **La Española**. Se trata de la isla que hoy es la **República Dominicana** y **Haití**. El primer fuerte, la primera colonia, la primera ciudad europea en el continente –Santo Domingo–, el primer hospital, la primera catedral y la primera universidad de América (1538) se instalan aquí.

Una isla, dos naciones

Mientras España coloniza el Este de la isla y más tarde casi toda América, los franceses crean colonias y explotan plantaciones en la parte Oeste de la isla (Haití). Europeos, indios y africanos se mezclan y conviven en la isla.

Algunas danzas dominicanas

Merengue. Tiene su origen en el campo. Sus instrumentos son el acordeón, la tambora (tipo de tambor), el saxofón y el bajo. Se baila en pareja, sin soltarse.

Bachata. Es un bolero rítmico, tocado con guitarras, bongó, maracas y hasta cucharas. Sus temas, llenos de melancolía, reflejan la tristeza y las penas diarias de la gente pobre.

Medicina casera

La gente del campo es supersticiosa. He aquí unas recetas: para la indigestión, colocar sobre el estómago hojas verdes de tabaco y poner sobre el ombligo una porción de excremento seco de perro; para bajar la fiebre, tomar una infusión de raíces de limonero, y para la picadura de escorpión, basta con frotarla con ajo.

Febrero: mes de fiestas

¡Llega el Carnaval! La gente se pone máscaras con cuernos, trajes de dioses indígenas, trajes de papel (papeluses) o de hojas secas de plátano (platanuses). Entre las tradiciones de Carnaval, se encuentra el **Roba la Gallina:** un hombre disfrazado de mujer pide dinero en las tiendas, seguido por un coro de burlas. Los dominicanos celebran la fiesta de la Independencia y el fin del Carnaval el mismo día.

Actividades

1. ¿Verdadero o falso?

	V	F
a. El primer lugar de América donde desembarcó Colón fue la República Dominicana.	☐	☐
b. Los dominicanos confían en la medicina tradicional.	☐	☐
c. Una "serenata" es un concierto en una plaza pública.	☐	☐
d. El piano es un instrumento típico del merengue.	☐	☐

2. Relacione.

a. papeluses	**1.** fiebre
b. raíz del limonero	**2.** dictadura
c. Trujillo	**3.** indígena rebelde
d. Haití	**4.** trajes de Carnaval
e. Enriquillo	**5.** país vecino

3. Elija la opción correcta.

a. ¿Qué nombre le da Colón a la isla de Santo Domingo?

☐ República Dominicana.

☐ Dominica.

☐ La Española.

b. ¿De qué países tuvo que independizarse la República Dominicana?

☐ España y Portugal.

☐ Francia y Haití.

☐ Haití y España.

c. ¿Qué es el Roba la Gallina?

☐ Un baile.

☐ Una comida.

☐ Una tradición del Carnaval.

Literatura

El trauma de la conquista española, la tradición folclórica y el nacionalismo frente a la dominación extranjera son temas que aparecen en la literatura dominicana. Se encuentran en novelas de temática colonial como *Enriquillo* (1876) de Manuel de Jesús Galván; en el **Postumismo**, movimiento poético que protesta contra la ocupación norteamericana de 1916 a 1924; en los fabulosos cuentos del escritor y presidente de la república, Juan Bosch (1909-2001), derrocado en 1962 por sus proyectos sociales. Su inolvidable cuento *La mujer* denuncia el machismo existente hace varios años. Pero las letras del país serán siempre recordadas por el excelente ensayista y narrador **Pedro Henríquez Ureña** (1884-1946).

Celebridades

El diseñador de moda **Óscar de la Renta** y el famoso músico **Juan Luis Guerra** (y su grupo "4-40") son dominicanos. Las canciones de Guerra nos hablan de las esperanzas del campesino dominicano (*Ojalá que llueva café*) o transmiten un fuerte romanticismo (*Bachata rosa*).

Celeste Woss y Gil

Nació en 1891 y fue la primera mujer dominicana que se dedicó como profesional a las **artes plásticas**. Pintó mujeres de su país: mulatas, negras, y expuso en Santiago de Chile y en Estados Unidos.

Tradición oral

Mucha gente del campo no puede ir a la escuela. Toda su cultura se transmite de boca en boca, de padres a hijos, se construye sobre la memoria, como lo hacían los pueblos antiguos.

Uno de los mejores poetas dominicanos, **Juan Antonio Alix**, muerto en 1918, rescata esta tradición oral campesina. Solía vender sus décimas (tipo de estrofas sobre temas diversos: amor, sátira, política) en la plaza de Santiago de los Caballeros, mientras pasaba la gente.

Una capital colonial

Santo Domingo tiene construcciones coloniales como el **Alcázar de Colón**, donde vivió Diego Colón, hijo de Cristóbal Colón, o pasaron conquistadores como Francisco Pizarro, Hernán Cortés y Núñez de Balboa. Es muy recomendable visitar la **Fortaleza** y la magnífica **Catedral de Santa María la Menor** (1544). El famoso dramaturgo español Tirso de Molina (1583-1648), creador del personaje Don Juan, vivió un tiempo en el convento de los dominicos.

El paraíso de Cristóbal Colón

Tanta es la belleza de América que cuando desembarcó, Colón pensó que había llegado al Paraíso.

En la República Dominicana el paraíso sobrevive en las magníficas playas de **Punta Cana**, una de las mejores del mundo, con muchos hoteles de lujo. **Samaná** es especial para el buceo, la aventura y ver el espectáculo de las ballenas apareándose.

En la zona de **La Romana** hay una localidad muy exótica: **Altos de Chavón**, construida a imitación de las casas de campo mediterráneas del siglo XVI.

Barahona es la región conocida por su amplia biodiversidad y el atractivo de sus playas vírgenes, que animan al descanso.

Actividades

1. Elija la opción correcta.

a. ¿Quién fue Juan Antonio Alix?

☐ Un poeta.

☐ Un músico.

☐ Un político.

b. ¿Contra qué protestan los escritores del Postumismo?

☐ Contra la colonización española.

☐ Contra la ocupación de los Estados Unidos.

☐ Contra la dictadura de Trujillo.

c. ¿Cuál de estos diseñadores nació en República Dominicana?

☐ Giorgio Armani.

☐ Óscar de la Renta.

☐ Jesús del Pozo.

2. Identifique cuáles de estas palabras desordenadas se relacionan con Santo Domingo.

a. cochotela

b. zaralca

c. bactao

d. fleortaaz

e. mitoon

f. aonac

g. lardacte

h. caoca

3. Relacione.

a. Celeste Woss y Gil

b. Juan Luis Guerra

c. Pedro Henríquez Ureña

1. literatura

2. pintura

3. música

4. Conteste las preguntas.

a. Si le gustan las playas, ¿cuál es el mejor lugar para visitar en la República Dominicana?

....

....

....

b. ¿Qué lugar de la República Dominicana es ideal para los amantes de la historia y la arquitectura?

....

....

....

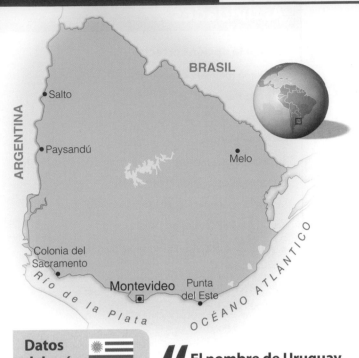

Un poco de historia

El territorio que hoy ocupa Uruguay estaba habitado por diferentes grupos de indígenas nómadas: **chanás**, **minuanes**, **yaros**, **charrúas**, **bohanes** y **guenoas**. Los españoles llegaron en 1516 y colonizaron la región. El territorio fue muy disputado por España y Portugal durante siglos, y Uruguay se independizó de ambos en 1825. Desde finales del siglo XIX hasta la primera mitad del XX, Uruguay recibió mucha inmigración italiana y española. Los afrouruguayos descienden de los esclavos africanos que fueron traídos durante el período colonial.

Datos del país

Superficie: 176 215 km²

Población: 3 494 382 habitantes.

Capital: Montevideo.

Ciudades importantes: Salto, Paysandú, Colonia del Sacramento, Melo, Punta del Este.

Moneda: Pesos uruguayos (UYU).

Forma de gobierno: República constitucional.

> **El nombre de Uruguay es de origen guaraní y significa 'Río de los caracoles' o 'Río de los Pájaros de colores'.**

Clima y geografía

Uruguay es un país de llanuras, playas y sierras. Tiene una costa extensa sobre el océano Atlántico y el **Río de la Plata**. El punto más alto del país es el **Cerro Catedral**, con 514 metros. La temperatura media anual es de unos 17° C.

Economía

La economía uruguaya se ha basado tradicionalmente en la actividad ganadera. Pero en las últimas décadas se ha desarrollado mucho el área de servicios financieros y turísticos.

Los uruguayos a veces son llamados también *orientales*, porque su país ocupa la orilla este (oriental) del Río de la Plata.

José Gervasio de Artigas (1764-1850)

Este militar de Montevideo es el héroe nacional de Uruguay. Participó en las luchas independentistas y luchó para convertir el país en una República independiente.

El ñandú

De la familia del avestruz, el ñandú no vuela y puede medir dos metros. Es muy apreciado por su carne, sus plumas y sus huevos.

Piedras semipreciosas

Las amastistas y ágatas que se encuentran en Uruguay son muy conocidas mundialmente, ya que se utilizan para hacer joyas.

Actividades

1. Conteste las preguntas.

a. ¿Cuál es el origen del nombre de este país?

....

b. ¿Por qué a los uruguayos se los llama también *orientales*?

....

c. ¿Cuál es la temperatura media anual de Uruguay?

....

d. Observe el mapa. ¿Con qué países limita?

....

2. Elija la opción correcta.

a. La geografía de Uruguay se caracteriza por... .

☐ llanuras, montañas y bosques.

☐ llanuras, sierras y playas.

☐ montañas, sierras y playas.

b. En la economía uruguaya destacan....

☐ la ganadería, el turismo y las finanzas.

☐ el turismo y la industria automotriz.

☐ la ganadería, las finanzas y la minería.

c. José Gervasio de Artigas es..

☐ un artista plástico.

☐ un héroe nacional.

☐ un conquistador español.

d. El ñandú es...

☐ un caballo.

☐ un pez.

☐ un ave.

3. Complete con las palabras que corresponden.

a. _____: piedras semipreciosas que se encuentran en Uruguay.

b. _____: el territorio uruguayo fue disputado por España y también por este país.

4. Nombre tres culturas prehispánicas y dos grupos de inmigrantes de Uruguay.

....

....

El termo y el mate

El mate es una costumbre muy arraigada en los países de la región, pero los uruguayos tienen la particularidad de llevar el mate a cualquier lado. Uruguayo, termo y mate son una imagen típica en la fila del banco, en la oficina, en la playa, caminando por la calle, en el transporte público...

Un juego del Río de la Plata

El truco es un juego de cartas que gusta a todo el mundo. Es muy habitual ver a los hombres jugando al truco en los bares y los clubes.

Fútbol

Es el deporte más popular. Uruguay fue el primer organizador del Mundial de Fútbol, en 1930, y fue el primer campeón mundial de este deporte. Los equipos más importantes son Peñarol y Nacional.

El clericó, una bebida casera

Se prepara con vino espumoso, zumos de fruta y fruta picada. Se sirve los días de fiesta.

Nombres

Hay todo tipo de nombres en Uruguay y, entre ellos, algunos particulares como *Nelson, Washington* o *Winston*, y también nombres indígenas: *Yamandú, Tabaré*...

Ritmos de Uruguay

El **candombe**, de origen africano, es el género musical más tradicional de Uruguay. Del candombe derivan la **murga** y el **tango**, ritmo que los uruguayos comparten con los argentinos.

El bocadillo uruguayo por excelencia

Hay un plato muy popular, que se puede pedir en un restaurante o en un carrito de comida en la calle: el **chivito**. Es un bocadillo que lleva pan, una loncha de carne de vaca, jamón, beicon, tomate, lechuga, huevo duro, mayonesa... Casi siempre se sirve con patatas fritas y se recomienda acompañarlo con una cerveza fría.

En Uruguay se consume también mucha carne de vaca, de cerdo y de oveja. El **asado** de carne de vaca, acompañado de verduras (también asadas a la parrilla), o el **cordero a las brasas** son los platos favoritos.

Uruguayos fuera de Uruguay

Uruguay es un país con una alta tasa de emigración a países extranjeros. Hay casi medio millón de uruguayos viviendo en Estados Unidos, Europa, Argentina y otros países de Suramérica. La tendencia emigratoria comenzó en los años 60, por cuestiones políticas, económicas y laborales.

Los uruguayos en el extranjero conservan muchas de sus costumbres. Algunos han llegado a ser figuras destacadas en sus países de adopción. Por ejemplo, en Argentina, **China Zorrilla** y **Daniel Hendler** se han convertido en actores muy conocidos y famosos.

En Europa, **Diego Forlán** desarrolla una destacada carrera futbolística.

Educación

Los uruguayos y uruguayas pueden estudiar desde preescolar hasta la universidad en el sistema de educación público, que es laico, gratuito y obligatorio. El país cuenta con una universidad pública: la **Universidad de la República**.

Uruguay tiene un **98% de alfabetización**, el índice más alto de América Latina.

Actividades

1. Elija la opción correcta.

a. El chivito es...

☐ un animal.

☐ un instrumento de música.

☐ un tipo de sándwich.

b. Los uruguayos comen...

☐ mucha verdura.

☐ mucho pescado.

☐ mucha carne.

c. El truco es...

☐ un juego de cartas.

☐ un deporte.

☐ una discoteca.

d. El clericó es...

☐ un grupo religioso.

☐ un grupo de cantantes.

☐ una bebida.

2. Complete la frase con las palabras adecuadas.

a. En Uruguay la educación pública es _____, _____ y _____.

3. ¿Verdadero o falso?

	V	F
a. Daniel Hendler es un futbolista uruguayo.	☐	☐
b. Los uruguayos toman mate en los lugares públicos.	☐	☐
c. Uruguay cuenta con tres universidades públicas.	☐	☐
d. Uruguay tiene el índice de alfabetización más alto de América Latina.	☐	☐
e. El cordero hervido es uno de los platos favoritos de los uruguayos.	☐	☐
f. El clericó es un deporte.	☐	☐
g. El candombe deriva del tango.	☐	☐
h. El tango deriva del candombe.	☐	☐
i. Una parte importante de la población uruguaya se ha ido a vivir fuera del país.	☐	☐

¿Quién es quién en la comparsa?

La **comparsa** es un grupo de personas que se reúnen para crear candombes, bailar y cantar. Los personajes típicos de la comparsa derivan de viejas tradiciones afrouruguayas:

Escobero: realiza malabarismos con una pequeña escoba. ¡Hace cosas realmente increíbles!

Gramillero: representa al brujo africano que curaba con hierbas. Usa frac negro, bastón y lleva un maletín con hierbas medicinales.

Mama Vieja: representa al ama de llaves de las residencias del Montevideo Colonial. Viste blusa y falda blancas. Lleva abanico y sombrilla.

Tamborileros: tocan los tambores y caminan lentamente; simbolizan a los esclavos que caminaban con sus pies atados.

Cuerpo de baile: lo componen hombres y mujeres.

Las llamadas de candombe

Una llamada de candombe es una convocatoria que realiza el Presidente de una **comparsa** al resto de la agrupación, para reunirse a tocar y bailar. Puede haber llamadas de candombe en diferentes momentos del año, pero cuando se acerca el Carnaval, son más frecuentes. El **desfile de llamadas** es un concurso de comparsas que se celebra en Carnaval, y es la fiesta más popular y vibrante del país.

Fiesta de la Patria Gaucha

En el departamento de Tacuarembó, en el centro-norte de Uruguay, se celebra este homenaje a la figura del **gaucho**: el hombre de campo de las llanuras rioplatenses. Durante cinco días, hay conciertos de música folclórica, comidas típicas, demostraciones camperas (como la doma de potros), bailes, exposiciones de objetos gauchescos y por la noche fuegos para reunirse a tocar la guitarra, beber y cantar.

2 de febrero: Lemanjá

Lemanjá es la diosa del mar, según la religión orisha, que llegó a Suramérica en la época del tráfico de esclavos africanos. En las playas de Montevideo, Punta del Este y otras ciudades, los seguidores de esta religión ofrecen cantos, flores y danzas a Lemanjá. Durante la noche se encienden velas en la playa. También asisten muchos curiosos, atraídos por la belleza de la celebración.

La fiesta de la X

Se trata de un evento musical cada año impresionante, que reúne a bandas de música y artistas de la región. El folclore, el *rock*, el tango, el *reggae*, el *ska*, el candombe y la música electrónica se pueden escuchar en numerosos escenarios al mismo tiempo. Suele realizarse en primavera, en algún parque de Montevideo, y cuenta con espacios para comer o tomar algo. Nació en 1999 y ya se ha convertido en uno de los hechos musicales más interesantes del sur de Suramérica.

Actividades

1. Encuentre en esta sopa de letras los nombres de tres personajes de la comparsa.

D	G	F	G	H	H	G	F	B	N
D	R	A	D	X	D	X	F	G	N
M	A	M	A	V	I	E	J	A	M
F	M	G	R	G	F	S	F	D	H
U	I	Y	U	I	D	C	G	F	G
I	L	T	T	I	U	O	T	B	N
K	L	R	G	T	Y	B	U	Y	M
J	E	T	F	R	T	E	T	U	H
H	R	T	D	E	Y	R	I	I	G
Z	O	R	S	R	T	O	O	I	H

2. ¿Verdadero o falso?

                                                 V   F

a. Las llamadas de candombe ocurren solo en Carnaval. ☐ ☐

b. En Uruguay hay rituales de la religión orisha. ☐ ☐

c. La fiesta de la X se hace en Punta del Este. ☐ ☐

3. Elija la opción correcta.

a. ¿Dónde se encienden velas el 2 de febrero?

☐ En las iglesias.

☐ En las casas.

☐ En la playa.

b. La fiesta de la X se celebra cada...

☐ año.

☐ mes.

☐ seis meses.

c. En la fiesta de la X, se toca...

☐ solo tangos.

☐ tangos y música folclórica.

☐ todo tipo de música.

d. ¿Qué es un gaucho?

☐ Un hombre de ciudad.

☐ Un hombre de campo.

☐ Un uruguayo típico.

Carlos Páez Vilaró

Este artista plástico, nacido en 1923, refleja en su pintura las culturas y los paisajes que ha conocido en sus numerosos viajes por el mundo, y en especial la cultura de su Uruguay natal. Ha pintado cartones, muros, aviones y piscinas. En los acantilados de Punta Ballena, cerca de Punta del Este, y frente al mar, se encuentra su sorprendente museo-taller **Casapueblo**, donde se exponen muchas de sus obras.

El varón del tango

Julio Sosa nace en Las Piedras en 1926, y triunfa en Buenos Aires en los años 50 como una de las voces más profundas de este género musical. Muere en un accidente de coche en 1964, para gran dolor de sus miles de admiradores.

Uno de los más queridos

Jaime Roos es un símbolo de la cultura uruguaya de hoy. Este músico y compositor inicia su actividad en los años 60 y es muy conocido hoy. Su música mezcla *rock,* candombe, milonga y murga, y transmite en sus canciones los problemas y la sensibilidad del pueblo uruguayo. Muchos lo reconocen como una de las figuras que rescató el candombe y la música tradicional uruguaya y la acercó a los jóvenes. Algunos de sus discos son: *Si me voy antes que vos, Cuando juega Uruguay, Sur,* etc.

And the winner is...

Jorge Drexler, un joven cantautor montevideano nacido en 1964, obtiene en 2005 el primer Óscar de la Academia de Hollywood para Uruguay, por su canción "Al otro lado del río", incluida en la exitosa película *Diarios de Motocicleta.* Además, ha sido nominado tres veces para los Grammy latinos.

Damas de la poesía

Juana de Ibarbourou (1892-1979) nació en Melo, Uruguay. Escribió poemas de estilo modernista y vanguardista. En 1959 ganó el Premio Nacional de Literatura.

Marosa Di Giorgio (1934-2004) nació en Salto. Es una poeta muy personal y su poesía transmite un mundo interior complejo, a veces tierno, a veces siniestro y oscuro...

Cristina Peri Rossi vive en Barcelona. Además de sus novelas como *Diáspora* o *Aquella noche*, escribe poemas.

Entre España y Uruguay
Mario Benedetti

(1920-2009) es un escritor de ensayos, novelas, poemas, guiones de películas, obras de teatro y canciones, nacido en Paso de los Toros. A partir de 1983, vivió parte del año en Uruguay y parte en España. Además de  premios de literatura como el Premio Iberoamericano José Martí, en 2001, Benedetti se ganó el cariño y el reconocimiento de sus compatriotas.

Eduardo Galeano
Este periodista y escritor nacido en Montevideo en 1940 es una importante personalidad de la literatura latinoamericana. En su obra *Las venas abiertas de América Latina* (1971), denuncia la historia de explotación sufrida en la región, desde la Conquista hasta hoy.

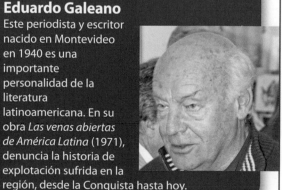

Actividades

1. Una los nombres de la columna de la izquierda con las obras o actividades de la columna de la derecha:

a. Eduardo Galeano   **1.** El varón del tango

b. Julio Sosa   **2.** Artes plásticas

c. Jaime Roos   **3.** Las venas abiertas de América Latina

d. Jorge Drexler   **4.** Sur

e. Carlos Páez Vilaró   **5.** Diáspora

2. ¿Verdadero o falso?   V | F

a. Jaime Roos acercó el rock a los jóvenes uruguayos. ☐ ☐

b. Julio Sosa es de Montevideo. ☐ ☐

c. Mario Benedetti vivió solamente en Uruguay. ☐ ☐

d. Marosa Di Giorgio era poeta. ☐ ☐

e. Mario Benedetti ganó el Premio Iberoamericano José Martí. ☐ ☐

f. Carlos Páez Vilaró construye Casapueblo en Punta del Este. ☐ ☐

g. Con una de sus canciones, Jorge Drexler obtuvo el primer Óscar de la Academia de Hollywood para Uruguay. ☐ ☐

3. Observe este dibujo del pintor uruguayo Joaquín Torres García, realizado en 1943. ¿Qué puede simbolizar? ¿Cómo podría interpretarse?

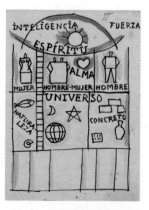

....

....

....

Viaje al siglo XVIII

Al suroeste de Uruguay se encuentra la ciudad de **Colonia del Sacramento**, fundada por los portugueses en 1680. **El Casco Histórico** de Colonia, con sus pequeñas calles de piedras, su vieja plaza de toros y sus edificaciones en excelente estado de conservación es Patrimonio Mundial desde 1995.

Por la costa uruguaya

Uruguay tiene 660 kilómetros de costa, sobre el Río de la Plata y sobre el océano Atlántico. Algunas de las playas más bonitas para visitar son:

Punta del Este: construida sobre una península, esta ciudad reúne una geografía impactante. De un lado de la península el mar es muy tranquilo, y del otro lado, agitado. Por eso allí se habla de la Playa Mansa y la Playa Brava (o "la Mansa" y "la Brava").

La Paloma: en el Departamento de Rocha, encontramos esta otra ciudad peninsular, más tranquila y familiar, con playas y bosques encantadores. Lo mejor: ver la puesta de sol en la playa.

Punta del Diablo: un puebo pequeño de pescadores, muy sencillo, con casas de madera y mínimos servicios. Tiene una excelente feria artesanal. Ideal para el romanticismo y el contacto con la naturaleza.

Rincones de la capital

El Mercado del Puerto ofrece todos los mediodías el olor de la carne asada. Hay innumerables parrilladas, donde se puede probar este típico plato uruguayo. Además se puede escuchar candombe al aire libre y admirar los productos que ofrecen los artesanos y los pintores. Desde allí, se puede ir a pie hasta la **Ciudad Vieja** y visitar el **Cabildo**, la **Basílica**, el **Portezuelo** y el **Teatro Solís**, que son algunos de los edificios antiguos que nos cuentan la historia de la ciudad.

Descanso en las termas

El noroeste uruguayo es famoso por el turismo termal, relajante y curativo. Bajo la tierra existe una reserva de agua dulce con temperaturas que oscilan entre los 38º y los 46º C, por lo que se han desarrollado en la zona muchos hoteles de lujo, con piscinas de aguas termales: **Arapey**, **Daymán**, **Salto Grande**, **San Nicanor**, **Guaviyú** y **Almirón**.

Actividades

1. Ordene los nombres siguientes en la columna correspondiente.

LA PALOMA - MERCADO DEL PUERTO - LA MANSA
EL PORTEZUELO - TEATRO SOLÍS
PUNTA DEL DIABLO - LA BASÍLICA

Playa	Ciudad
....	....
....	....
....	....

2. Elija la opción correcta.

a. Arapey es...

☐ una playa de La Paloma.

☐ una playa de Punta del Este.

☐ un centro termal.

b. El Teatro Solís está en...

☐ Punta del Este.

☐ Colonia del Sacramento.

☐ Montevideo.

c. Los centros de agua termal están...

☐ en el suroeste.

☐ en el noroeste.

☐ en el sureste.

3. Conteste las preguntas.

a. ¿Qué lugar de Uruguay le recomendaría a una persona interesada en la historia y la cultura?

....
....

b. ¿Qué lugar de Uruguay le recomendaría a un amigo estresado?

....
....

c. Elija tres lugares de Uruguay que le gustaría visitar. Justifique la elección.

....
....

Mar Caribe

Archipiélago Los Roques

Isla Margarita

Puerto Colombia

Maracaibo

Choroní

Caracas

TRINIDAD Y TOBAGO

Barquisimeto

Valencia

La Guaira

Ciudad Bolívar

GUYANA

COLOMBIA

BRASIL

Economía

Se centra fundamentalmente en la explotación del petróleo.

Los cultivos típicos son caña de azúcar, arroz, maíz, yuca, papa (patata), cacao y tabaco, entre otros. La producción ganadera es principalmente de vaca. El gas, los diamantes, el carbón y otros minerales como la bauxita (para fabricar aluminio) también son importantes.

Datos del país

Superficie: 912 050 km²

Población: 27 683 617 habitantes.

Capital: Caracas.

Ciudades importantes: Maracaibo, Ciudad Bolívar, Valencia, Barquisimeto.

Moneda: Bolívar venezolano (VEB).

Forma de gobierno: República.

" Americo Vespucio la llamó *Venezziola* o *Venezuela*. "

Clima

Venezuela tiene un clima agradable, cálido y lluvioso en general. En la zona montañosa la temperatura baja. También encontramos un clima seco en zonas desérticas del litoral.

Origen del nombre

Cuentan que los indígenas ya llamaban Venezuela ("agua grande") a una población del **lago Maracaibo**, el más extenso de Suramérica. Otros dicen que el navegante italiano **Américo Vespucio** vio las casas sobre pilotes de madera (palafitos) de los indígenas, cerca de ese mismo lago, y las comparó con Venecia: Venezuela parecía una "pequeña Venecia".

Venezuela posee una fabulosa diversidad ecológica y de recursos naturales, con regiones tropicales, selváticas, desérticas, llanuras extensas con actividad ganadera y cordilleras montañosas.

La independencia

La Guerra de Independencia contra España fue muy larga: en ella sobresalió el gran libertador de América (junto a José de San Martín) **Simón Bolívar**. Logró finalmente la expulsión de los españoles en 1823.

Siglo XX

Además de los sucesivos golpes de estado e inestabilidad política se producen progresos económicos y lentos avances hacia la democracia. En los últimos tiempos, podemos mencionar al presidente Carlos Andrés Pérez quien, tras un gobierno económicamente próspero por el auge petrolero, debe enfrentarse a una fuerte crisis que termina en el **Caracazo** (protestas y manifestaciones en Caracas) de 1989. En 1998, el líder popular **Hugo Chávez** implanta reformas de carácter socialista y una política cultural e ideológica nacionalista bautizada como **República Bolivariana**.

Actividades

1. Conteste las preguntas.

a. ¿Cuál es el (los) origen(es) problables del nombre *Venezuela*?

....

....

b. ¿Cuáles son las ciudades más importantes del país?

....

....

c. ¿Cómo se llama el lago más extenso de Suramérica que está en Venezuela?

....

d. Mencione tres productos agrícolas cultivados en Venezuela.

....

....

e. ¿Cómo se llaman las casas sobre pilotes de madera?

....

2. Encuentre en esta sopa de letras seis productos de la economía de Venezuela.

A	I	G	A	S	H	G	F	B	N
O	R	A	D	X	D	X	F	G	B
M	A	M	I	V	I	E	J	I	A
F	M	C	A	C	A	O	F	D	U
Y	I	U	M	I	D	C	G	F	X
U	L	T	A	B	A	C	O	B	I
C	L	R	N	T	Y	B	U	Y	T
A	E	T	T	R	T	E	Z	U	A
H	R	T	E	E	Y	R	I	I	G
Z	O	R	S	R	T	O	O	I	H

3. ¿Verdadero o falso?

	V	F
a. El gran héroe de la Independencia es Simón Bolívar.	☐	☐
b. La crisis de 1989 terminó en el Bolivarazo.	☐	☐
c. Venezuela se independiza de España en 1669.	☐	☐
d. Hugo Chávez es un líder popular que implantó reformas de carácter socialista.	☐	☐
e. La economía de Venezuela se centra en la explotación del petróleo.	☐	☐

La gente

La población venezolana es predominantemente mestiza. Conviven comunidades indígenas (achaguas, yaruros, guahibos, piaroas), afrovenezolanas, unas pocas asiáticas (sirios y libaneses) y europeas. Por ejemplo, los alemanes de Colonia Tovar conservan aún su dialecto. La explotación petrolera ha atraído siempre oleadas inmigratorias.

Las telenovelas, una pasión

Son la distracción de todos los venezolanos. Destacan por su larga duración. Incluso han adaptado clásicos de la literatura nacional, como *Doña Bárbara,* del escritor **Rómulo Gallegos**: en ella, una joven caída en la pobreza, pero de gran belleza, busca vengarse de los hombres; simboliza la naturaleza virgen del país.

¿Cómo son?

Los venezolanos son alegres, amables y serviciales. Les gusta mucho rumbear, bailar, atender bien a sus visitas y expresarse espontáneamente.

Hombre de campo

El **llanero** es el *cowboy* venezolano; vive en los llanos venezolanos, es un excelente jinete y lleva el ganado de una tierra a otra.

Las mujeres venezolanas son bellísimas

Venezuela ha dado 11 reinas internacionales de belleza, en los concursos **Miss Universo** y **Miss Mundo**.

Comer

La comida es otra mezcla entre lo indígena y lo europeo. Se emplean mucho los cereales (maíz), las verduras y el queso junto con la carne.

Los clásicos de la cocina son la **hallaca** –masa de harina de maíz que se rellena con varios ingredientes, se envuelve en hojas de plátano y se hierve– y el **pabellón criollo**: arroz, carne, frijoles negros (o caraotas), plátano frito y, a veces, huevos fritos. ¡A reponer energías! La zona caribeña se caracteriza por la influencia del pescado y el marisco. La región llanera aprovecha la carne de vaca y los lácteos.

Beber

Los venezolanos aprecian las bebidas típicas de su tierra: la **chicha venezolana** (dulce y a base de arroz), el **papelón limón** (cubitos de jugo de caña de azúcar, limón, agua y hielo), el **ponche crema** (leche, huevos, azúcar y ron) y el tradicional **ron** venezolano.

Deportes

La importancia del ganado para el país origina el deporte del **coleo**, que consiste en tirar a un toro tirándole de la cola. Es muy popular el juego de las **bolas criollas**. Pero sin duda, la pasión nacional es el **béisbol**, que sigue dando campeones destacados en ligas como la estadounidense.

Actividades

1. Tache lo que no caracteriza a la población venezolana.

INEXPRESIVOS – MESTIZAJE – YARUROS GUARANÍES – PANAS – RUGBY – SERVICIALES CONCURSOS DE BELLEZA – TRISTES

2. Relacionar.

a. coleo	**1.** deporte más popular
b. reina de belleza	**2.** llanero
c. jinete típico del país	**3.** *Doña Bárbara*
d. clásico literario nacional	**4.** salir de noche
e. béisbol	**5.** concursos de belleza
f. rumbear	**6.** derribar a un toro

3. Complete las frases.

a. Harina de maíz y hojas de plátano son ingredientes de _____.

b. Con el plátano frito y los frijoles negros se prepara _____.

c. La cocina caribeña emplea principalmente _____.

d. La bebida alcohólica más tradicional es _____.

e. El ponche crema lleva _____ y _____.

f. Las telenovelas son la principal _____ de los venezolanos.

g. La explotación del _____ siempre ha atraído mucha inmigración.

h. El deporte del coleo consiste en derribar un _____ por la cola.

i. El llanero lleva el _____ de un lugar a otro.

San Antonio de Padua

Se reza a este Santo para tener buena salud, encontrar cosas perdidas, y las mujeres solteras le piden un marido. Se celebra el 13 de junio. En el pueblo de **Lara**, el día anterior, la gente se reúne en la iglesia y se vela al santo frente a un altar, con flores y con cantos hasta el amanecer. Tras la misa, el santo sale de la iglesia entre cohetes y campanadas. Los habitantes le dan ofrendas y comienzan las danzas, entre ellas, el **tamunangue**: baile que simboliza el aprendizaje de hombres y mujeres de las reglas sociales y la conformación de la pareja. Luego se hacen diferentes bailes: **la Batalla** (dos hombres hacen esgrima con palos de madera), **la Bella** (el hombre corteja y la mujer coquetea)...

Peces y pájaros

Los pescadores de isla Margarita tienen una danza muy pintoresca. Cuenta la historia de unos hombres que embarcan en un barco llamado "Nueva Esparta" y viven muchas aventuras hasta poder atrapar un pez grande: el **Carite**. Un hombre representa al pez con un disfraz de cartón, mientras que un grupo lo ataca y defiende el barco. Ya pescado, las mujeres, con faldas largas, blusa y una cesta en la cabeza, reparten peces y marisco a cambio de dinero. Otros pueblos de esta zona oriental también expresan su vida cotidiana con celebraciones al **pez volador** o al **pájaro guarandol**.

San Juan, fiesta mágica

Los pueblos de raíces africanas, en la costa central, celebran **San Juan Bautista** (del 23 al 24 de junio). Por ser un amigo especial para ellos lo "bautizan" en el mar o en algún río, al son de los tambores, y beben aguardiente (licor fuerte de azúcar de caña) o ron. Se baila, y todo el mundo lleva pañuelos de colores al cuello.

Si en la mágica noche de San Juan te cortas el pelo, puede darte mala suerte, pero si quieres ver tu futuro, pon un huevo en un vaso de agua y mira a través de él.

La Cruz de Mayo

Se celebra todos los sábados de mayo en las casas, y se preparan altares especiales para la Cruz. Los amigos participan cantando y bailando al ritmo de tambores africanos; cada uno lleva comida . En Choroní y Puerto Colombia, el pueblo y los visitantes se dirigen por la mañana al malecón tocando los tambores y bailando en honor a la Cruz.

Hacia el final del año

En Navidad, hay muchas tradiciones. Las **Paraduras del Niño**, donde se busca al Niño Jesús perdido, se encienden velas, los niños se visten de ángeles y se sirve bizcocho y vino. En las **patinatas**, las familias salen a la calle y sus hijos pasean con bicicletas y patines.
El 28 de diciembre, hombres y mujeres cambian sus roles, se disfrazan y salen a la calle para hacer bromas y pedir dinero: es la **fiesta de locos y locaínas**.

Actividades

1. Relacione cada uno de estos elementos con la fiesta apropiada.

a. pez de cartón

b. peces y mariscos

c. peluca de mujer   **1.** Locos y locaínas

d. falsos bigotes   **2.** San Juan

e. aguardiente   **3.** Carite

f. barco   **4.** San Antonio de Padua

g. campanadas

h. Batalla y Bella

2. ¿Verdadero o falso?   V | F

a. Las patinatas se celebran en mayo.   ☐ ☐

b. Para San Juan, se baila con pañuelos de
colores al cuello.   ☐ ☐

c. Para ver el futuro, hay que cortarse el pelo
en San Juan.   ☐ ☐

d. El pájaro guarandol es una fiesta
del oriente venezolano   ☐ ☐

e. La Cruz de Mayo se celebra en todas
las escuelas..   ☐ ☐

3. Elija la opción correcta.

a. Las Paraduras del Niño simbolizan...

☐ la búsqueda de un niño perdido.

☐ la búsqueda del Niño Jesús perdido.

☐ el deseo de tener muchos hijos.

b. La Cruz de Mayo se celebra especialmente en...

☐ Puerto Colombia y Ocumare de la Costa.

☐ Choroní y Ocumare de la Costa.

☐ Choroní y Puerto Colombia.

4. Complete los textos con formas de los verbos *disfrazarse* **o** *ponerse*.

a. Los 28 de diciembre, _____ con los pantalones de mi hermano. Y él _____ una falda mía.

b. Las muchachas _____ sus pañuelos de colores al cuello y bailan en San Juan.

Música venezolana

Mezcla elementos españoles y africanos. El género más representativo es la **música llanera**, con instrumentos como el cuatro (tipo de guitarra), el arpa, las maracas y la bandola (descendiente del laúd). Su representante más significativo es el folclorista **Simón Díaz**. El baile típico es el **joropo**.

Los más populares

Toda Latinoamérica oye actualmente los temas románticos de tres famosísimos cantantes venezolanos: Ricardo Montaner, Franco de Vita y **José Luis Rodríguez** "El Puma".

Chévere

La palabra *chévere*, muy usada por los venezolanos, viene de una palabra nigeriana y significa 'bueno', 'agradable' o 'estupendo'. Por ejemplo, se dice: "¡Qué chévere es este ritmo!".

Jesús Soto

Es un importante creador del arte cinético y un escultor famoso.
Sus obras están expuestas en el MOMA, en el museo Guggenheim de Nueva York y también en el Centro Georges Pompidou, en París.

Arquitectura

Carlos Raúl Villanueva es considerado el arquitecto venezolano más importante del siglo XX. Entre sus obras destacan la Reurbanización, en Caracas, y el **Campus Principal de la Universidad Central de Venezuela**, declarado Patrimonio de la Humanidad por la UNESCO en el año 2000.

Ciencia premiada

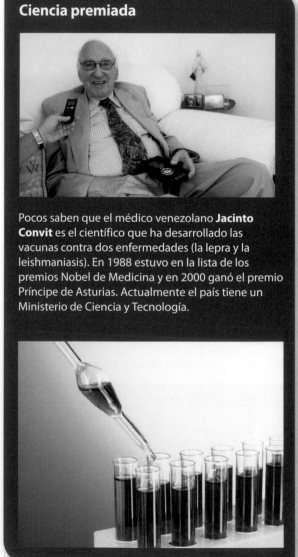

Pocos saben que el médico venezolano **Jacinto Convit** es el científico que ha desarrollado las vacunas contra dos enfermedades (la lepra y la leishmaniasis). En 1988 estuvo en la lista de los premios Nobel de Medicina y en 2000 ganó el premio Príncipe de Asturias. Actualmente el país tiene un Ministerio de Ciencia y Tecnología.

Cine y teatro

El cine venezolano se inició en 1896, al año siguiente de la primera producción de los hermanos Lumière en Francia. Y en 1977, **Román Chalbaud** dirige la película *El pez que fuma.*

Tennessee Williams tiene mucha influencia en el teatro contemporáneo venezolano y su visión de las problemáticas humanas. Dramaturgos recordados son: José Ignacio Cabrunas y Isaac Chocrón.

Literatura

Rómulo Gallegos (1884-1969) creador de las famosas novelas *Doña Bárbara y Canaima,* retrata la vida del campesino venezolano y la vida de los llanos. Fue presidente de la nación en 1947. Otro importante escritor nacional es **Arturo Uslar Pietri** (1906-2001), político, ensayista y novelista. Fue un gran conocedor de las vanguardias europeas. Su novela *Las lanzas coloradas* trata el tema independentista y exhibe rasgos del característico "realismo maravilloso" latinoamericano.

Museos

Imprescindible nombrar el **Museo de Arte Contemporáneo del Zulia** (MACZUL), donde se pueden ver diversos géneros expresivos (grabado, fotografía, cerámica, collage...).
O el **Museo de Bellas Artes**, con colecciones de Arte Latinoamericano, Arte Europeo Medieval y Moderno, Arte Europeo y Norteamericano Contemporáneo,
Colección Cubismo, etc.

Actividades

1. Relacione los personajes con su profesión.

a. Carlos Raúl Villanueva	**1.** cantante
b. Jacinto Convit	**2.** escritor
c. José Luis Rodríguez	**3.** arquitecto
d. Arturo Uslar Pietri	**4.** escultor
e. Jesús Soto	**5.** científico

2. Elija la opción correcta.

a. *El pez que fuma.*

☐ es una película venezolana de Tennessee Williams.

☐ es una novela venezolana de 1896.

☐ es una película venezolana de 1977.

b. La palabra *chévere…*

☐ deriva del francés.

☐ deriva de un dialecto nigeriano.

☐ deriva de un dialecto caribeño.

c. Jacinto Convit desarrolló…

☐ el arte cinético en Venezuela.

☐ el Ministerio de Ciencia y Tecnología.

☐ las vacunas contra la lepra y la leishmaniasis.

3. Conteste las preguntas.

a. Nombre una obra importante de Carlos Raúl Villanueva.

....

b. ¿Qué cargo ocupó Rómulo Gallegos en 1947?

....

c. Cite dos museos donde se puede admirar la obra de Jesús Soto.

....

d. ¿Cuál es el apodo del cantante José Luis Rodríguez?

....

En Venezuela, en pocas horas se puede cambiar de clima y paisaje: montañas o llanos, playas, lagos o ríos y selvas de una flora y fauna espléndidas.

Naturaleza impactante

Al sur del río Orinoco se encuentra La Gran Sabana o Parque Nacional Canaima, con una superficie aproximada de 3 millones de hectáreas, un hermoso escenario turístico con grandes ríos y cataratas, selvas y exótica fauna. En ella se encuentra el fabuloso Salto del Ángel, la catarata más alta del mundo, con una caída de 980 m. Esta catarata inspiró a los creadores de la película *Up, una aventura de altura*, de Disney Pixar.

Archipielagos Los Roques

Situado a 166 km del puerto de La Guaira, representa uno de los paisajes naturales de mayor interés ecológico y turístico que posee el país. Está constituido por 42 arrecifes de origen coralino y gran número de bancos de arena.

Puerto Cabello

Fundado en el siglo XVI, ha sido uno de los mejores puertos de la América colonial: de allí partían cargamentos de cacao, café, algodón e índigo para las Antillas holandesas. Las calles con piedras del pueblo, la calle de Los Lanceros, con sus preciosos balcones andaluces o la Iglesia de San José, permiten revivir el pasado.

Templos coloniales

Para los amantes de lo colonial y del arte religioso, hay una interminable lista de templos, como la **Catedral de Caracas**, las iglesias de El Tocuyo, las de Coro y la Asunción, el Calvario de Carora, la iglesia de San Carlos de Cojedes o la Basílica Menor de Mérida.

Isla Margarita

Es un paraíso tropical con puerto libre, casinos, hoteles y vida nocturna. Destacan playas como **El Yaque**, famosa mundialmente para practicar windsurf y deportes extremos. Las cercanas islas de **Coche** y **Cubagua** conservan su naturaleza casi en estado virgen y son el hogar de tortugas marinas y aves.

Actividades

1. En una agencia de turismo se reciben estas consultas. ¿Cómo las respondería?

a. "Me hablaron de un lugar donde se pueden ver balcones andaluces…".

....
....

b. "Dicen que hay una catarata famosa … ".

....
....

c. "¿Es verdad que hay un destino turístico con mucha diversión y posibilidad de observar tortugas marinas?".

....
....

2. Elija la opción correcta.

a. El Parque Nacional Canaima tiene…

☐ grandes islas.

☐ ríos, selvas y fauna exótica.

☐ bellísimos bancos de arena.

b. De Puerto Cabello partían cargamentos de…

☐ cacao, café, algodón.

☐ cacao, té, seda.

☐ cacao, diamantes, esmeraldas.

c. La calle de Los Lanceros está en…

☐ Colonia Tovar.

☐ Mérida.

☐ Puerto Cabello.

d. El Yaque es...

☐ un Parque Nacional.

☐ una famosa catedral.

☐ una playa.

e. Las islas de Coche y Cubagua son el hogar de...

☐ ballenas.

☐ tortugas marinas.

☐ tiburones.

3. ¿Qué lugar de Venezuela le interesa más? ¿Por qué?

....
....
....

II. Otros países donde se habla español

Andorra (Europa)
Belice (América central)
Estados Unidos (Norte América)
Filipinas (Asia)

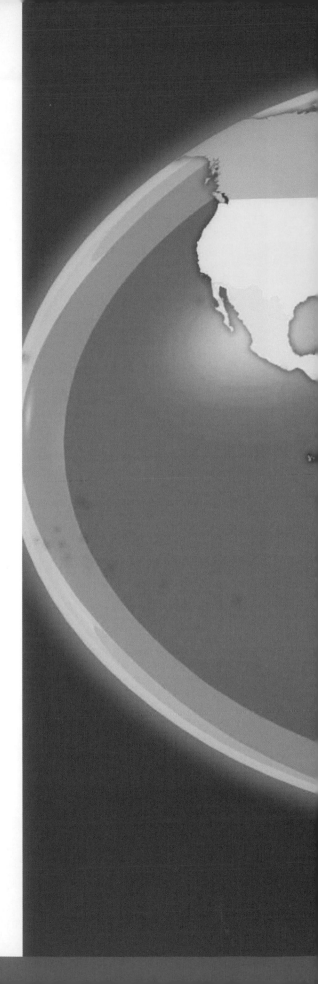

Andorra

Estados Unidos

Belice

Filipinas

FRANCIA

Arinsal

Ordino

La Massana

Encamp

Andorra la Vella

Escaldes-Engordany

Santa Coloma

Sant Julià de Lòria

ESPAÑA

> **Andorra fue fundada por el emperador Carlomagno en el año 805. Dio los valles al pueblo que vivía allí porque le habían ayudado a vencer a los sarracenos.**

El **Principado de Andorra** está situado entre España y Francia. Es un país montañoso con 65 picos de más de 2 500 m de altitud. Su clima es mediterráneo de alta montaña, con temperaturas frías en invierno y suaves en verano.
El Principado de Andorra no forma parte de la Unión Europea (UE), pero tiene una relación privilegiada con ella.

Datos del país

Superficie: 468 km²

Población: 83 888 habitantes.

Capital: Andorra la Vella.

Ciudades importantes: Arinsal, La Massana, Ordino.

Moneda: Euro (EUR).

Forma de gobierno: democracia parlamentaria y coprincipado.

Lengua oficial: Catalán.

Otras lenguas: Español (43.3%) y francés.

Un régimen político particular

Andorra es un Coprincipado. Tiene dos copríncipes: el Obispo de la Seu d'Urgell y el Presidente de la República francesa.

Atractivos de Andorra

Antiguamente, Andorra era un país agrícola, pero actualmente vive sobre todo del turismo. El valle de **Madriu-Perafita-Claror** (Andorra la Vella, Encamp, Escaldes-Engordany y Sant Julià de Lòria) es uno de los lugares más bonitos y sorprendentes de Andorra. En 2004, este valle fue declarado Patrimonio de la Humanidad por la UNESCO.

Flora y fauna

Andorra cuenta con una flora y una fauna muy ricas. La **grandalla** (*Narcissus poeticus*) es la flor simbólica del país. El **rebeco** es el animal más representativo de la fauna de Andorra.

Festivales

En Andorra, en el mes de julio, tiene lugar el **Festival Internacional de Jazz de Escaldes-Engordany**, en el que Miles Davis ha participado.

En el Auditorio Nacional, en septiembre, se celebra el **Festival Narciso Yepes**.

Delicioso...

En Andorra hay muchos platos que tienen como fuente principal la carne de caza: ciervo, conejo, sarrio (nombre del rebeco en los Pirineos)...

También, gracias a la riqueza de su ríos y lagos, se pueden comer deliciosas truchas preparadas de manera muy variada.

El estilo románico

Andorra tiene verdaderas joyas románicas: puentes y cuarenta iglesias, entre ellas la de **Santa Coloma**. Es la iglesia más antigua de Andorra. Su nave es rectangular y tiene un campanario circular, único en el mundo.

Aguas cálidas

Situado en Les Escaldes, al este de Andorra la Vella, se encuentra el **balneario de Caldea**. Se trata de un lago natural de unos 650 m^2 cuyas aguas se mantienen a una temperatura de 32° C.

Actividades

1. Conteste las preguntas.

a. ¿Cuál es la lengua oficial de Andorra?

....
....

b. ¿Qué característica tienen las aguas del balneario de Caldea?

....
....

c. ¿Cómo es el clima de Andorra?

....
....

d. ¿Qué ingrediente base llevan muchos platos de Andorra?

....

2. ¿Verdadero o falso?

	V	F
a. En Andorra hay dos idiomas oficiales: el catalán y el francés.	☐	☐
b. Se pueden practicar deportes de invierno.	☐	☐
c. Andorra es un país muy industrializado.	☐	☐
d. En Andorra hay un festival internacional de jazz de renombre.	☐	☐
e. El festival Narciso Yepes se celebra en julio.	☐	☐

3. En estas palabras desordenadas se ocultan cosas y lugares de Andorra.

a. DAGRANLLA: _____

b. OCEBER: _____

c. AEDLAC: _____

d. CRUTHA: _____

e. DINOOR: _____

f. OCRINPCIPDOA: _____

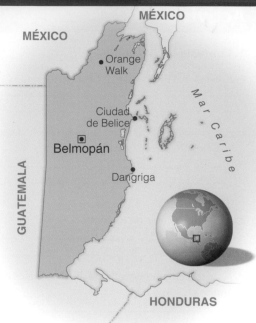

MÉXICO

MÉXICO

Orange Walk

Ciudad de Belice

Belmopán

Dangriga

GUATEMALA

Mar Caribe

HONDURAS

Los **garifunas** son descendientes de esclavos negros, que viven en ciudades de casas de madera como Dangriga. En 1797 se rebelaron contra los ingleses, fueron expulsados y llevados a Honduras; en 1832 volvieron en un gran movimiento migratorio.

// **El idioma español es el más hablado en Belice, pero el inglés es lengua oficial. //**

Datos del país

Superficie: 22 966 km²

Población: 307 899 habitantes.

Capital: Belmopán.

Ciudades importantes: Ciudad de Belice, Dangriga, Orange Walk.

Moneda: Dólar beliceño (BZD).

Forma de gobierno: Democracia parlamentaria y miembro de la Commonwealth.

Lengua oficial: Inglés.

Otras lenguas: Lenguas indígenas y español.

Un poco de historia

En 1638, es colonizado por los ingleses, que utilizan el territorio para aprovisionarse de café y maíz, para extraer la madera de caoba y para la trata de esclavos. Mientras Guatemala y Gran Bretaña luchaban esta tierra, los belicenses pedían ser independientes. Lo que se conocía con el nombre de Honduras Británica pasa a llamarse Belice en 1975 y se independiza en 1981. No obstante, el Jefe del Estado Constitucional es el rey inglés, representado por un Gobernador que debe ser belicense.

Multicultural y plurilingüe

Así es Belice, donde viven descendientes de ingleses, esclavos negros fugitivos, indígenas caribeños y una reducida población maya que vive en el occidente y sur del país. Por todo esto se hablan distintas lenguas indígenas –maya kekchí, mopan, yucateco–, una forma criolla de inglés y español.

Fiestas y costumbres

El 9 de marzo, para conmemorar el **Día del Barón Bliss**, benefactor del país, ¡todos al agua a las regatas! Y si no, carreras de caballos y bicicletas. También hay ciclismo el **Sábado Santo**, antes de la Pascua, terminando la carrera en **Ciudad de Belice**.

En **Cayo Caulker** tiene lugar el **Festival del Coco**, donde se come, se bebe y se muestran artesanías. Para oír la marimba (instrumento de música típico) hay que ir a la frontera con Guatemala, donde se celebra la **Fiesta de Benque Viejo del Carmen**.

¿Quién se anima a alimentar tiburones?

En Belice existe un mundo submarino fabuloso de agua transparente, con muchos corales. Para el Estado de Belice, el cuidado del ecosistema marino es un tema de gran importancia. Hay **tiburones ballena** que se alimentan del plancton, y también **tiburones nodriza**, que comen de nuestras manos directamente. ¿Quién se anima a intentarlo?

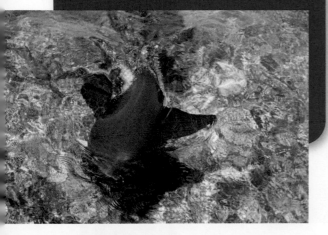

Actividades

1. Elija la opción correcta.

a. Los países que disputaron el territorio de Belice son...

☐ Honduras y Gran Bretaña.

☐ Guatemala y España.

☐ Guatemala y Gran Bretaña.

b. ¿Quiénes son los garifunas?

☐ Los descendientes de los mayas.

☐ Los descendientes de los esclavos africanos.

☐ Los descendientes de los colonizadores británicos.

c. Las lenguas que se hablan en Belice son...

☐ lenguas indígenas, francés e inglés.

☐ inglés, español y criollo.

☐ lenguas mayas, inglés criollo y español.

2. Complete con la palabra correcta.

a. Los garifunas de Dangriga viven en casas de _____.

b. Durante la Fiesta de Benque Viejo del Carmen es posible escuchar la _____, un instrumento típico de percusión.

c. Bajo las aguas del mar, en Belice, es posible alimentar a los _____ . El Estado le da gran importancia al cuidado del _____.

3. Cite...

a. ...tres lenguas indígenas que se hablan en Belice.

....
....

b. ...tres años importantes en la historia de Belice.

....
....

c. ...tres celebraciones típicas.

....
....
....

d. ...tres ciudades.

....
....

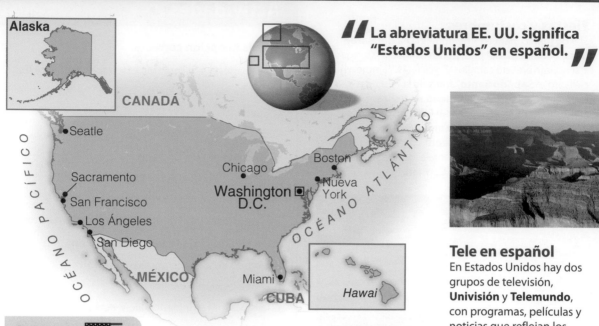

Alaska

CANADÁ

OCÉANO PACÍFICO

Seatle

Sacramento

San Francisco

Los Ángeles

San Diego

MÉXICO

Chicago

Boston

Nueva York

Washington D.C.

OCÉANO ATLÁNTICO

Miami

CUBA

Hawai

> **La abreviatura EE. UU. significa "Estados Unidos" en español.**

Datos del país

Superficie: 9 826 630 km²

Población: 307 212 123 habitantes.

Capital: Washington D.C.

Ciudades importantes: Nueva York, Los Ángeles, Chicago.

Moneda: Dólar (USD).

Forma de gobierno: República.

Estados Unidos tiene 41 millones de personas de origen latino. Los estados con más población latina son California, Texas y Florida, pero la ciudad con más latinos es Nueva York. Los tres grupos más numerosos de latinos son los puertorriqueños (en Nueva York), los mexicanos (en California) y los cubanos (en Florida).

Tele en español

En Estados Unidos hay dos grupos de televisión, **Univisión** y **Telemundo**, con programas, películas y noticias que reflejan los intereses y los problemas de la comunidad hispanohablante. El canal **Galavisión** (parte de Univisión) se hizo especialmente famoso con las populares telenovelas, un género televisivo de gran aceptación entre los latinoamericanos.

Escuelas bilingües

Uno de los fenómenos más interesantes en EE. UU. es el bilingüismo. Muchos hijos de inmigrantes latinoamericanos que viven en Estados Unidos hablan tanto español como inglés. Normalmente hablan español en casa e inglés en el colegio. Es frecuente que los nuevos inmigrantes hispanohablantes llegan con sus hijos que no hablan inglés. Mientras aprenden inglés, estos niños van a colegios bilingües. En estos colegios las clases son en español y en inglés.

Variedad en EE. UU.

Como en Estados Unidos hay un gran número de personas de diferentes países latinoamericanos, hay mucha variedad de platos. Se pueden encontrar tacos mexicanos, ajiaco criollo cubano o plátano frito caribeño. También son muy populares las variaciones de la comida mexicana: el tex-mex y el cali-mex.

Junio en Nueva York

Cada mes de junio se celebra el **Desfile puertorriqueño de Nueva York**, un acontecimiento al que asisten casi dos millones de personas. Es el evento al aire libre con más gente de los EE. UU. Además del desfile por la Quinta Avenida, hay cenas de gala, conciertos, juegos y concursos al aire libre.
En 1995, este desfile se extendió a toda la nación, como **Desfile Nacional Puertorriqueño**.

El Día de Muertos

Esta fiesta, que tiene lugar el 1 de noviembre en México, cada vez se celebra más en Estados Unidos.

Actividades

1. ¿Verdadero o falso?

	V	F
a. En Estados Unidos hay más de 50 millones de hispanos.	☐	☐
b. En Estados Unidos hay programas de televisión en español.	☐	☐
c. En Estados Unidos los niños hispanohablantes no pueden estudiar español.	☐	☐
d. La ciudad de Estados Unidos con más latinos es Nueva York.	☐	☐

2. Complete con la palabra que corresponde.

a. _____: forma abreviada del nombre "Estados Unidos".

b. _____: importante ciudad de California, con nombre en español.

c. _____: canal famoso por las populares telenovelas.

d. _____: hecho de hablar dos idiomas.

3. Elija la opción correcta.

a. El Desfile puertorriqueño de Nueva York se celebra en...

☐ abril.

☐ junio.

☐ agosto.

b. En Estados Unidos las variaciones de la comida mexicana se llaman...

☐ chig-mex.

☐ new-mex.

☐ tex-mex.

c. Los tres grupos más numerosos de latinos en EE. UU. son los puertorriqueños, los mexicanos y los...

☐ chilenos.

☐ cubanos.

☐ peruanos.

Música latina

La influencia de los ritmos latinos es muy importante en la música popular de Estados Unidos. Cantantes como Shakira, Juanes, Marc Anthony, Cristina Aguilera o Jennifer López entre otros, son muy famosos.

Cine

En Estados Unidos hay muchos actores de origen hispano. Por ejemplo, **Andy García.** Este actor cubanoamericano ha interpretado papeles inolvidables en películas como *El Padrino III* o *Internal affairs*.

Barrios Hispanos

En varias ciudades de Estados Unidos hay **barrios hispanos** muy interesantes que merecen una visita.

Nueva York

En **El Barrio,** se recomienda ver el Museo del Barrio, fundado en 1969. Allí se conserva la herencia cultural de la comunidad caribeña del noreste de EE. UU. Tiene pinturas, esculturas, fotografías... de artistas caribeños y de otros latinoamericanos contemporáneos.

Miami

En la **Pequeña Habana,** centro de la comunidad cubana, hay comida y música cubana.

Chicago

Esta ciudad tiene una comunidad mexicana importante: **Pilsen** y **la Villeta.** En la calle 18 se puede encontrar de todo: restaurantes mexicanos, panaderías...

Primera mujer hispana elegida miembro del Congreso de EE .UU.

Se trata de **Ileana Ros-Lehtinen.** Representó en el Congreso un distrito de Florida durante 10 años. Su gran deseo es que otras mujeres hispanas hagan lo mismo.

Herencia hispánica en California

La actual California, antiguo territorio mexicano, cuenta con un grupo de veintiuna misiones de origen franciscano que se formaron en los años 1760-1770. Algunas de esas misiones están en las actuales ciudades de San Diego, San Francisco, Los Ángeles, Santa Bárbara y Santa Mónica.

El Camino Real

Es el nombre de la ruta (de 966 km) que conectaba todas las misiones de California. Forma parte del Patrimonio Histórico de California.

Misión de San Diego de Alcalá

En 1769, Junípero Serra fundó la primera de las veintiuna misiones franciscanas en la bahía de San Diego. La misión está rodeada por bellos jardines. La iglesia que hoy se puede visitar fue reconstruida en 1931 y recuerda a la antigua iglesia de 1831.

Santa Bárbara,

"La Reina de las Misiones", creada en 1786. La misión de Santa Bárbara es una de las más bonitas. Tiene un cementerio, un precioso jardín, un monasterio y una casa de retiro espiritual. Ofrece una visita guiada que muestra cómo vivían los antiguos misioneros franciscanos.

Actividades

1. Relacione los barrios hispanos con la ciudad en que se encuentran.

a. El Barrio   **1.** Miami

b. Pilsen y la Villeta   **2.** Chicago

c. La Pequeña Habana   **3.** Nueva York

2. Conteste las preguntas.

a. ¿Qué cargo ocupó Ileana Ros-Lehtinen durante 10 años?

....

b. ¿En qué película muy famosa actuó Andy García?

....

c. Nombre dos artistas latinos famosos en Estados Unidos.

....

d. ¿Qué es el Camino Real?

....

....

e. ¿Qué se puede ver en el museo del Barrio?

....

....

3. En esta sopa de letras, busque cinco palabras relacionadas con la herencia hispánica en California.

F	D	F	G	H	J	H	J	K	J	H	K
R	Y	U	H	J	K	Ñ	L	I	M	Ñ	J
A	M	O	N	A	S	T	E	R	I	O	K
N	I	U	Y	S	H	J	H	H	S	I	J
C	L	K	T	P	G	J	J	G	I	J	H
I	G	L	E	S	I	A	G	N	O	I	G
S	J	S	S	R	D	D	F	B	N	K	F
C	V	X	G	I	D	S	D	N	E	U	F
A	V	C	F	T	F	X	C	V	S	J	W
N	F	O	D	U	Z	C	V	B	N	M	W
O	P	P	J	A	R	D	I	N	E	S	D
S	O	P	Ñ	L	L	K	J	H	G	F	S

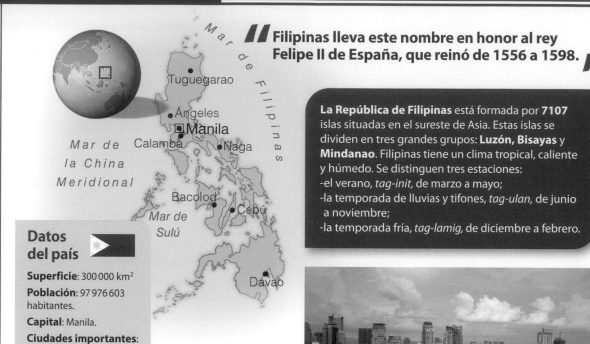

> **Filipinas lleva este nombre en honor al rey Felipe II de España, que reinó de 1556 a 1598.**

La República de Filipinas está formada por **7107** islas situadas en el sureste de Asia. Estas islas se dividen en tres grandes grupos: **Luzón, Bisayas** y **Mindanao**. Filipinas tiene un clima tropical, caliente y húmedo. Se distinguen tres estaciones:
-el verano, *tag-init,* de marzo a mayo;
-la temporada de lluvias y tifones, *tag-ulan,* de junio a noviembre;
-la temporada fría, *tag-lamig,* de diciembre a febrero.

Datos del país

Superficie: 300 000 km^2

Población: 97 976 603 habitantes.

Capital: Manila.

Ciudades importantes: Ángeles, Tuguegarao, Bacolod, Naga City, Calamba.

Moneda: Peso filipino (PHP).

Forma de gobierno: República.

Lenguas oficiales: Inglés y filipino (tagalo).

Otras lenguas: Se hablan más de 80 idiomas y dialectos.

Algo de historia

La colonización de las islas por los españoles tuvo lugar en 1565 y duró hasta 1898, año en que Estados Unidos declaró la guerra a España y Filipinas dejó de ser española. Sin embargo, no se independiza hasta **1946**.
La lengua española ha tenido un papel importante desde un punto de vista cultural e histórico en el país. La Constitución de Malolos de 1898 está escrita en español y durante la primera mitad del siglo XX, el español es la lengua de la prensa y del comercio.
También, los nombres y apellidos (dos, igual que en España) de los filipinos siguen siendo españoles en su mayoría.

Comidas

La cocina filipina tiene influencia china, malaya y española. Se usa la palabra española *merienda* para hablar de un aperitivo que se toma entre las comidas. Algunos platos tradicionales del país son:
-**sopa de ajo**: una receta deliciosa y fácil de preparar;
-**pansit**: pasta con verduras, carne y gambas;
-**halo-halo**: un postre helado hecho con coco, plátanos, legumbres, leche y frutas típicas.

Un impulso para el español en Filipinas

La expresidenta **Gloria Macapagal-Arroyo**, es conocida por su ayuda para promover la lengua y la cultura española en Filipinas, por lo que recibe en 2009 el Premio Internacional Don Quijote. Además es miembro de la Academia Filipina de la Lengua Española.

Economía

Filipinas es un país sobre todo agrícola. Se cultiva arroz, maíz, coco, caña de azúcar, café, tabaco y frutas tropicales. Su industria está compuesta por la manufactura, la minería, la construcción, el gas y la electricidad.

Desde hace siglos el **arroz** se cultiva en terrazas: las maravillosas terrazas de Banaue, en el centro de la isla de Luzón, han sido declaradas por la UNESCO Patrimonio Cultural Mundial. Tienen entre 2 000 y 3 000 años y algunas están a una altitud de 1 500 metros sobre el nivel del mar.

Festejos

Las fiestas filipinas son una mezcla de celebraciones cristianas y elementos folclóricos. El 9 de enero se celebra la **Procesión del Nazareno Negro**, la fiesta más importante del país.

Actividades

1. Conteste las preguntas.

a. Las islas que forman Filipinas se dividen en tres grupos. ¿Cuáles son?

....

....

b. ¿Qué fiesta se celebra el 9 de enero?

....

....

c. ¿Cuál es la moneda de este país?

....

....

d. ¿Cuáles son los idiomas oficiales de Filipinas?

....

....

e. ¿Cuántas estaciones hay en Filipinas?

....

....

f. ¿Qué se cultiva en Filipinas?

....

....

g. ¿Qué influencias recibe la comida filipina?

....

....

h. ¿Por qué la lengua española tiene presencia en Filipinas?

....

....

2. Encuentre en esta sopa de letras tres comidas filipinas.

A	R	H	S	D	D	F	G	F
D	F	A	E	Ñ	F	P	P	J
F	G	L	D	O	I	O	O	H
J	H	O	S	L	K	P	K	J
S	O	P	A	D	E	A	J	O
J	K	J	J	L	Ñ	N	E	E
W	E	W	J	K	L	S	W	Q
D	A	Z	S	F	V	I	P	S
A	S	Z	D	C	V	T	P	O

Glosario

n.: nombre
adj.: adjetivo
v.: verbo
m.: masculino
f.: femenino
pl.: plural

A

abolir (v.) Anular una ley.

aborigen (n. m.) Originario del sitio donde vive.

acantilado (n. m.) Costa rocosa cortada verticalmente.

adivinanza (n. f.) Enigma que se propone como pasatiempo. Ejemplo: *Oro parece, plata no es. ¿Qué es?*

agave (n. m.) Planta de México con hojas de color verde claro y con espinas en el borde y en la punta. Con su zumo se elabora el tequila.

alfabetización (n. f.) Enseñanza y aprendizaje de la lectura y la escritura.

altiplano (n. m.) Terreno extenso y llano situado a gran altura sobre el nivel del mar.

amerindio (n. m.) Palabra que deriva del término "indio americano"; hace referencia a las poblaciones indígenas de América.

amuleto (n. m.) Objeto al que se le atribuyen propiedades mágicas como traer suerte o proteger a su propietario.

analfabetismo (n. m.) Desconocimiento de la lectura y escritura.

andino/a (adj.) Todo lo relacionado con Los Andes: población, geografía, gobiernos, etc.

anfibio (n. m.) Animal vertebrado de sangre fría que vive en la tierra y en el agua: *La rana y el cocodrilo son anfibios*.

aparecido/a (n. m./f.) Muerto que se aparece a la vista de los vivos, fantasma. En los cuentos populares hay muchas historias sobre aparecidos.

apreciar (v.) Reconocer y estimar el mérito de alguien o algo.

apostar (v.): Jugar, retar, arriesgar.

archipiélago (n. m.) Grupo de islas.

argentino/a (adj.) Originario de Argentina.

arqueólogo/a (n. m./f.) Persona que se dedica al estudio de los monumentos y objetos antiguos.

artesanía (n. f.) Objetos realizados con las manos.

artesano/a (n. y adj.) Que se dedica a la artesanía como trabajo.

autóctono/a (adj.) Nacido en el país del que se habla, nativos de este lugar, por ejemplo: *animales autóctonos*.

atraer (v.) Hacer que acudan otras cosas, animales o personas.

azteca (n. m.) Pueblo indígena que fundó México-Tenochtitlán en el siglo XV y que alcanzó un elevado desarrollo cultural. Los aztecas hablaban una lengua llamada náhuatl. Su escritura mezclaba pictogramas, ideogramas y signos fonéticos. Para los aztecas, la astronomía era una ciencia importante; gracias a sus observaciones, determinaron con gran precisión las revoluciones del sol y de la luna y pudieron crear un complejo calendario. La medicina también estaba bastante desarrollada. Con su conocimiento de la naturaleza, los aztecas descubrieron propiedades curativas en diversos minerales y plantas.

B

bandeirantes (n. m. pl.) Mestizos descendientes de portugueses, originarios de Sao Paolo, Brasil. Entre los siglos XVI y XVIII capturaban indígenas para obligarlos a trabajar en sus plantaciones de azúcar. También participaban como soldados en las campañas militares portuguesas para expandir las fronteras de Brasil.

Bautismo (n. m.) Ceremonia religiosa en la que una persona pasa a formar parte de la comunidad cristiana. Durante esta ceremonia, el ritual consiste en mojar la cabeza de la persona que desea ser cristiana.

belicense (n. y adj.) Originario de Belice.

bilingüe (n. y adj.) Persona que habla dos lenguas.

bilingüismo (n. m.) Capacidad de una persona para utilizar dos lenguas indistintamente.

bolero (n. m.) Canción de ritmo lento originaria de varios países del Caribe latinoamericano, con letras de tema amoroso y melancólico.

boliviano/a (n. y adj.) Originario de Bolivia.

boreal (adj.) Perteneciente al Polo y hemisferio Norte: *clima boreal, aurora boreal*.

buceo (n. m.) Deporte que consiste en sumergirse y nadar en las profundidades de mares, lagos, ríos, etc., con o sin equipo especial.

C

cabalgata (n. f.) Desfiles de carrozas, jinetes o bandas de música.

cálido/a (adj.) **1**. Que produce calor: *clima cálido*. **2**. Afectuoso, cariñoso: *Nos dio una cálida bienvenida*.

calipso (n. m.) Canción y baile propios de las Antillas menores.

caluroso/a (adj.) **1**. Que produce calor: *un día caluroso*. **2**. Muy cariñoso: *Nos dio un caluroso abrazo*.

campesino/a **1**. (adj.) Que pertenece al campo. **2**. (n. m./f.) Habitante de una zona rural.

canal (n. m.) Paso estrecho, natural o artificial, entre dos mares, dos continentes o dos islas: *El Canal de Panamá une dos océanos*.

cancha (n. f.) Lugar donde se celebran encuentros deportivos. En el sur de Suramérica, sinónimo de *estadio*.

candombe (n. m.) Género musical rioplatense, originado en las tradiciones de los esclavos africanos, que se toca con tambores y es de ritmo rápido.

canoa (n. f.) Embarcación de remo pequeña, estrecha y alargada.

cante jondo (n. m.) Estilo de canto andaluz.

cañonazo (n. m.) Acción de disparar con cañón.

caracol (n. m.) Molusco protegido por un caparazón en forma de espiral, que se arrastra por medio de un pie carnoso que tiene en el vientre. Existen especies terrestres y acuáticas.

carroza (n. f.) Coche muy adornado que se utiliza en desfiles y fiestas.

capturar (V.) Apoderarse por la fuerza de algo o alguien que se resiste.

cata (n. f.) Degustación de algo para ver cómo sabe: *cata de vino*.

catarata (n. f.) Cascada, caída brusca de agua.

catracho/a (n. y adj.) Forma popular de referirse a lo que es originario de Honduras.

cepa (n. f.) Tronco de la vid. Su fruto es la uva: *En su campo, tiene dos mil cepas*.

cerro (n. m.) Elevación natural de un terreno, algo más baja que una montaña.

chachachá (n. m.) Ritmo originario de Cuba, creado por Enrique Jorrín a partir del danzón.

chévere (adj.) En Venezuela, palabra que significa *estupendo, agradable, bueno*.

chileno/a (n. y adj.) Originario de Chile.

chivito (n. m.) En Uruguay, bocadillo que lleva una loncha muy fina de carne de vaca asada, vegetales, huevo y salsas.

cinético (arte) (adj.) Movimiento artístico en el que las obras presentan movimiento o parecen tenerlo.

coatí (n. m.) Pequeño mamífero omnívoro, de piel de color pardo grisáceo, con la cola negra de anillos blancos, que vive desde el sur de Estados Unidos hasta el noreste de Argentina.

cocina (n. f.) **1**. Arte y técnica de cocinar alimentos: *Me encanta la cocina peruana*. **2**. Habitación o parte de una casa preparada para cocinar.

collage: (n. m.) Técnica de pintura que consiste en pegar en un lienzo o una tabla diversos materiales.

colombiano/a (n. y adj.) Originario de Colombia.

colonial (adj.) Relativo a la época de la conquista y colonización española: *arquitectura colonial*.

colonizar (v.) Ocupar un territorio extranjero para dominarlo política y económicamente.

combinación (n. f.) Mezcla, unión.

compositor/a (n.) Persona que hace música.

conquistar (v.) Adueñarse, apoderarse o tomar el control de un lugar o un territorio, generalmente por la fuerza.

constitucional (adj.) De acuerdo a lo establecido por la constitución de un Estado.

convulsionado/a (adj.) Agitado política o socialmente.

cordillera (n. f.) Serie de montañas de gran altura unidas entre sí: *cordillera de los Andes*.

corrida de toros (n. f.) Espectáculo en el que un hombre provoca a un toro siguiendo ciertas reglas con el objetivo de evitar sus ataques. Este espectáculo es popular en España y algunos países de Suramérica.

corsario (n. m.) Pirata. Persona que se dedica al abordaje de barcos en el mar para robar.

cosecha (n. f.) Conjunto de productos del campo que se recogen cuando llega la época de hacerlo: *Este año hay buena cosecha de aceitunas*.

costarricense (n. y adj.) Originario de Costa Rica.

cráter (n. m.) Boca por la que se produce la erupción de un volcán.

criollo (n. y adj.) Nombre que recibían los españoles nacidos en la época de la colonia.

Cuaresma (n. f.) En la tradición católica, período de cuarenta y seis días (desde el Miércoles de Ceniza hasta el Sábado Santo) destinado a prepararse para las fiestas de Pascua.

cubano/a (n. y adj.) Originario de Cuba.

cubismo (n. m.) Movimiento pictórico considerado

como la "primera vanguardia" de principios del siglo XX. Sus fundadores fueron el francés Georges Braque y el español Pablo Picasso. Se caracteriza por el empleo de formas geométricas (triángulos, rectángulos, cubos...) en la realización de las figuras.

cueva (n. f.) Espacio hueco que ha sido cavado o se ha formado de manera natural bajo la tierra o en las paredes de una montaña.

cumbia (n. f.) Género musical y danza originarios de Colombia y muy populares en toda América Central y el Caribe.

D

democracia (n. f.) Sistema político en el que los gobernantes son elegidos por los ciudadanos mediante votación.

denuncia (n. f.) Declaración pública sobre una situación de injusticia o ilegalidad.

desembarcar (v.) Bajar a tierra desde un barco, bote o navío.

desencanto (n. m.) Sentimiento de decepción, desilusión, al descubrir una realidad que no es lo que uno esperaba.

dialecto (n. m.) Variedad de una lengua usada por un grupo de hablantes poco numeroso y que vive en una misma zona geográfica.

dictadura (n. f.) Gobierno que se caracteriza por tener un único gobernante. Su poder no está limitado por leyes ni por organismos judiciales o legislativos. Contrario de dictadura.

discriminación (n. f.) Hecho de dar trato de inferioridad a una persona por motivos raciales, religiosos, políticos, etc.

dominicano/a (n. y adj.) Originario de la República Dominicana.

E

ecosistema (n. m.) Sistema formado por una comunidad de seres vivos y el medio que los rodea.

ecuatoguineano/a (n. y adj.) Originario de Guinea Ecuatorial.

ecuatorial (adj.) Del ecuador o relativo a él: *clima ecuatorial*.

ecuatoriano/a (n. y adj.) Originario de Ecuador.

ecuavóley (n. m.) Deporte ecuatoriano que combina el vóley y el fútbol.

emigración (n. f.) Abandono del lugar o país de residencia con el fin de establecerse en otro por un tiempo limitado o ilimitado.

empedrado (n. y adj.) Suelo realizado a base de piedras.

encaje (n. m.) Labores que se hacen con agujas de coser o bolillos que representan figuras.

endémico (adj.) Propio y exclusivo de determinadas localidades o regiones.

envejecer (v.) Hacerse viejo (cosa o persona).

erupcionar (v.) Referido a un volcán, expulsar violentamente las materias de su interior.

escalofriante (adj.) Horrible, emocionante, impresionante.

esclavo (n. m.) Se dice del individuo que se encuentra bajo dominio de otro y no tiene libertad.

esculpir (v.) Trabajar a mano una obra de escultura, especialmente de piedra, madera o metal.

escultura (n. f.) Arte y técnica de representar objetos o de crear figuras dando forma a materias como piedra, madera, mármol, bronce, etc.

español/a (n. y adj.) Originario de España.

esplendor (v.) Brillo, resplandor.

estación (n. f.) Cada uno de los cuatro períodos del año que se distinguen por presentar determinadas condiciones climáticas: *El verano es mi estación favorita*.

estadounidense (n. y adj.) Originario de los Estados Unidos de América.

estilo primitivista hondureño (n. m.) Pintura con muchos colores que retrata los paisajes y pueblos de Honduras.

etnia (n. f.) Grupo de personas que pertenecen a un mismo pueblo o cultura.

étnico/a (adj.) Que pertenece a una nación o etnia.

excremento (n. m.) Residuos de alimentos que el cuerpo elimina.

F

fanático/a (adj.) Apasionado, exaltado, extremista.

fauna (n. f.) Conjunto de especies de animales de determinada zona: *fauna alpina, polar*, etc.

filipino/a (n. y adj.) Originario de Filipinas.

flora (n. f.) Conjunto de especies vegetales de determinada zona: *flora mediterránea*.

forestal (adj.) Que pertenece a los bosques.

fortaleza (n. f.) Recinto fortificado (castillo, ciudadela).

frijol (n. f.) Semilla comestible de la familia de las leguminosas; planta originaria de América. Se dice también *fréjol, judía*.

funicular (n. m.) Medio de transporte que consiste

en dos cabinas que circulan por una vía de ferrocarril unidas por un cable de acero, de manera que cuando una sube la otra baja.

G

ganadería (n. m.) Actividad económica que consiste en la cría de ganado.

ganado (n. m.) Animales de pasto criados para su explotación: *El ganado vacuno es una de las principales riquezas de la región*.

garifuna (n. y adj.) Grupo étnico distribuido en varios países de América Central y el Caribe que desciende de los esclavos africanos llevados a la región en el siglo XVII.

gaucho (n. m.) Jinetes de las llanuras de Argentina, Uruguay, sur de Brasil y sur de Chile.

géiser (n. m.) Fuente termal que expulsa periódicamente al aire una columna de agua caliente y vapor de agua.

gitano (n. y adj.) Que pertenece a una comunidad o etnia originaria de la India, asentados principalmente en Europa. Los gitanos suelen ir de un sitio a otro sin tener una residencia fija. Tienen rasgos físicos y culturales propios.

glifo (n. m.) Signo grabado o pintado, generalmente relacionado con la cultura maya.

grabado (n. m.) Arte y técnica de trazar inscripciones o figuras sobre una superficie dura como metal, piedra, madera, etc.

guacamayo (n. m.) Ave tropical de la familia de los loros. Tiene plumas de colores y una cola muy larga.

guaraní 1. (adj.) Se aplica a una comunidad indígena que vive en Paraguay y algunas regiones de Bolivia, Argentina y Brasil. **2.** (n. m.) Lengua de la comunidad indígena guaraní.

guatemalteco/a (n. y adj.) Originario de Guatemala.

H

hacienda cafetera (n. f.) Plantación dedicada al cultivo del café que ocupa una gran superficie.

hechicero/a (n. y adj.) Persona que pretende ejercer un poder sobrenatural sobre otras personas, acontecimientos o cosas: *La vieja hechicera transformó a la princesa en estatua*.

higuera (n. f.) Árbol que produce higos.

hondureño/a (n. y adj.) Originario de Honduras.

hongo (n. m.) En biología el término hongo designa un grupo de organismos en el que se encuentran las levaduras, los mohos y las setas.

hueco/a (adj.) Que tiene vacío el interior.

I

impacto (n. m.) Efecto producido por un acontecimiento.

inca (n. y adj.) Relativo a una de las culturas más desarrolladas de la América prehispánica. Surgió en la zona de los Andes peruanos y se extendió desde Colombia hasta el norte de Chile. Los incas fundaron un imperio cuya capital era Cuzco. No tenían un sistema de escritura muy perfeccionado, pero inventaron un sistema de cordones y de nudos de varios colores, llamados *quipus*, que les permitían transmitir datos. Su idioma era el quechua, lengua que los indígenas siguen hablando en Perú, Ecuador y Bolivia.

Inca (n. m.) Soberano que gobernaba el imperio inca. Era también la máxima autoridad religiosa.

indígena (adj.) Originario de un país o lugar.

indigestión (n. f.) Trastorno en el aparato digestivo, provocado generalmente por comer en exceso.

inmigración (n. f.) Llegada de personas a un lugar o país diferente de su lugar de origen, con el fin de establecerse.

inspirar (v.) Sugerir ideas para la creación de una obra literaria o artística.

J

jade (n. m.) Piedra muy dura, de color blanco o verde con manchas rojizas, que se utiliza en joyería.

jineteada (n. f.) Deporte con caballos tradicional de Argentina, Uruguay y Paraguay.

L

laico/a (adj.) Que no pertenece a ninguna organización religiosa.

legado (n. m.) Aquello que se deja o transmite a los sucesores, material o inmaterial. Herencia.

legumbres (n. f.) Frutos secos de las plantas leguminosas: judías, garbanzos, etc.: *Las legumbres suelen ser muy nutritivas*.

leishmaniasis (n. f.) Enfermedad causada por diferentes parásitos del género *Leishmania*.

leyenda (n. f.) Narración popular de un hecho ficticio o real, adornado con elementos fantásticos, que se transmite de forma oral.

llanero (n. m.) En Venezuela, hombre de campo, típico de los llanos.

llano (n. m.) Amplio territorio rural sin desniveles. Planicie.

M

magma (n. m.) Mezcla de rocas fundidas y gases a

temperatura muy alta que se encuentra en el interior de la tierra y tiende a salir formando un volcán.

malaria (n. f.) Enfermedad producida por un microbio propio de los terrenos pantanosos, transmitida al hombre a través de los insectos.

malabarismo (n. m.) Arte de juegos de destreza y habilidad.

mambo (n. m.) Baile originario de Cuba, concretamente surge en La Habana sobre 1930. El mambo es una mezcla de música africana, hispanoamericana y jazz.

manjar (n. m.) Comidas particularmente refinadas: *un majar exquisito*.

manufactura (n. f.) **1**. Producto elaborado manualmente o con máquinas a partir de materias primas. **2**. Fábrica o industria: *una manufactura de algodón*.

mapache (n. m.) Mamífero carnívoro originario de América del Norte. Tiene la piel gris, el hocico blanco y una cola con anillos blancos.

maraca (n. f.) Calabaza rellena de piedras pequeñas o de granos de maíz que se utiliza en diferentes ritmos musicales.

marimba (n. f.) Instrumento musical de percusión parecido en su forma al xilófono.

mate (n. m.) Infusión de origen indígena, que se consume mucho en Paraguay, Argentina y Uruguay. Se hace con las hojas secas de un arbusto también llamado *mate*.

maya (n. y adj.) Relativo a una de las culturas más desarrolladas de la América prehispánica. Surgió en el sur de lo que hoy es México, y se extendió por el norte de América Central. Actualmente, las comunidades mayas viven en la península de Yucatán y en el norte de Guatemala y Honduras. Los mayas desarrollaron el sistema de escritura más completo de todos los pueblos indígenas americanos. Gracias a él, escribieron todo tipo de textos: de medicina, de historia, de astronomía, etc. También crearon un calendario muy preciso, con un año de 365 días.

medias nueves (n. f. pl.) En Colombia, comida que se toma entre el desayuno y el almuerzo.

melancólico/a (adj.) Que tiene tristeza.

merengue (n. m.) Estilo musical y baile originarios del Caribe; surge a finales del siglo XIX en la República Dominicana.

mestizaje (n. m.) Mezcla de etnias o de culturas diferentes.

mestizo/a (n. y adj.): Particularmente, hijo de indio y blanco; esta palabra se aplica también a los animales o las plantas procedentes del cruce de ejemplares de distinta raza: *Es una música mestiza; en mi país, muchos somos mestizos*.

mexicano/a (n. y adj.) Originario de México.

miga (n. f.) Parte interior y más blanda del pan.

milenario/a (adj.) Que pertenece al número mil.

misión (n. f.) Asentamiento religioso fundado por misioneros para evangelizar una región. En Paraguay se llaman reducciones.

misionero (n. m.) Es el cristiano, casi siempre perteneciente a una orden religiosa, que abandona su país para dar a conocer su religión a miembros de otras culturas.

mito (n. m.) **1**. Leyenda simbólica de carácter religioso. **2**. Cosa inventada por alguien, que intenta hacerla pasar por verdad, o cosa que solo existe en la fantasía de alguien: *Eso de que ha viajado por todo el mundo es un mito*.

moáis (n. m.) Estatuas monolíticas de piedra que están en la isla de Pascua o Rapa Nui, Chile.

monolito (n. m.) Piedra grande que constituye por sí sola un monumento: *monolito prehistórico*.

monoparental (n. m.) Hace referencia a aquellas familias compuestas por uno solo de los progenitores (padre o madre).

monarquía (n. f.) Forma de gobierno en la que un rey o una reina representa la autoridad máxima.

morcilla (n. f.) Trozo de tripa de cerdo o vaca que se rellena con sangre cocida y cebolla o arroz.

mulato (n. y adj.) Se aplica a la persona nacida de la unión de un negro y un blanco.

multitudinario (adj). Que pertenece a un número grande de personas o cosas.

Muralismo (n. m.) Movimiento artístico mexicano de principios del siglo XX. El Muralismo fue pensado con fines educativos y se exponía en lugares públicos. Algunos de los temas eran la conquista, la Revolución Mexicana, la industrialización, los personajes principales de la cultura popular, las tradiciones populares, etc. Los muralistas trabajaban sobre una superficie de hormigón o sobre la fachada de un edificio.

musulmán (n. y adj.) Persona cuya religión es el Islam.

N

nica (n. y adj.) Forma popular de referirse a lo originario de Nicaragua.

nicaragüense (n. y adj.) Originario de Nicaragua.

Nochebuena (n. f.) En la tradición cristiana, noche del 24 de diciembre, cuando se celebra el nacimiento de Jesús.

Nochevieja (n. f.) En España, noche del 31 de diciembre, cuando se celebra el final del año y el comienzo del año nuevo.

náhuatl (n. m.) Lengua hablada principalmente por los pueblos nahuas de México y América Central, impropiamente llamada también azteca o mexicana.

neblina (n. f.) Niebla poco espesa y baja.

O

once (n. f.) En Chile y Colombia, comida que se toma por la tarde. Merienda. También se usa mucho en plural: *Es la hora de unas ricas onces*.

opresión (n. f.) Dominación excesiva e injusta ejercida sobre una persona o grupo de personas.

P

Pachamama (n. f.) Divinidad protectora de los pueblos indígenas de los Andes Centrales de América del Sur. Protege a los hombres, posibilita la vida y favorece la fecundidad. Se la identifica con la Tierra y la naturaleza.

palma (n. f.) Hoja de la palmera.

pampa (n. f.) Llanura de América del Sur, muy extensa y sin árboles.

panameño/a (n. y adj.) Originario de Panamá.

papa (n. f.) Tubérculo comestible originario de América. En España, *patata*.

paradisíaco/a (adj) Maravilloso, celestial.

paraguayo/a (n. y adj.) Originario de Paraguay.

parrillada (n. f.) Método para cocinar carne de diferentes animales, aunque en Suramérica la más frecuente es la de vaca.

pasodoble (n. m.) Música y baile español.

Patrimonio de la Humanidad (n. m.) Conjunto de edificios artísticos, paisajes, ciudades y bienes culturales seleccionados y protegidos por la UNESCO por su importancia cultural o natural.

peculiar (adj.) Propio, característico de algo.

península (n. f.) Extensión de tierra que está rodeada por agua y unida por una parte a un territorio mayor.

Península ibérica (n. f.) Gran península situada al suroeste de Europa, dentro de la cual están los territorios de España y Portugal.

peña criolla (n. f.) Fiesta en la que se venden comidas y bebidas, se baila y se presentan muchos espectáculos.

percusión (n. m.) Música producida por golpes sobre un instrumento.

peruano/a (n. y adj.) Originario de Perú.

pico (n. m.) Cumbre, parte más alta de una montaña.

pinacoteca (n. f.) Museo que tiene cuadros.

piñata (n. f.) Recipiente de barro o cartón adornado con papel y de colores, en su interior hay frutas, dulces u otros regalos. Se cuelga de una cuerda y los niños, con un palo, deben romperla para liberar el premio que contiene. Este juego se suele hacer durante las fiestas de cumpleaños.

piropo (n. m.) Piedra fina de color rojo fuego. De ello surge el sentido coloquial de la palabra: frase ingeniosa que se dirige a una persona (generalmente mujer) con el fin de adularla o cortejarla: *Tus ojos son mi vida, tu boca mi pasión, porque tú me quieres si te amo de corazón*.

pisco (n. m.) Bebida hecha a base de aguardiente de uva moscatel, muy popular en Perú y Chile.

plancton (n. m.) Conjunto de organismos animales y vegetales, muy pequeños, que flotan y son desplazados en aguas saladas o dulces.

plato (n. m) **1.** Recipiente donde se sirve la comida. **2.** Alimento preparado o cocinado que constituye una parte de una comida: *El primer plato es cebiche. La pizza es mi plato favorito*.

pollera (n. f.) Prenda de vestir que consiste en una tela que se ajusta en la cintura y cubre parte o la totalidad de las piernas. Falda.

poncho (n. m.) Abrigo típico de América del Sur. Consiste en una tela gruesa rectangular, en su centro hay una abertura para pasar la cabeza.

Popol-Vuh (n. m.) (*Libro del Consejo*) Libro sagrado de los mayas. Describe la creación del mundo, los mitos y parte de la historia del pueblo maya.

popular (adj.) **1.** Que pertenece a un grupo de personas o comunidad o que tiene su origen en él: *las fiestas populares*. **2.** Que es muy conocido entre la mayoría de la gente o de un ámbito determinado: *un cantante popular*. **3.** Que pertenece a las clases más humildes de una sociedad: *La música de los sectores populares, Vive en un barrio popular*.

precolombino/a (adj.) Se aplica a todo aquello (historia, monumentos, etc.) que es anterior a los viajes de Cristóbal Colón, iniciados en 1492.

prehispánico/a (adj.) Se aplica a todo aquello

(historia, monumentos, etc.) que, en América, es anterior a la conquista y colonización españolas.

premio (n. m.) Objeto de valor (medalla, condecoración, etc.) que se le entrega a una persona en reconocimiento de una obra o una acción.

prestigioso/a (adj.) Famoso, muy conocido, con renombre.

procesión (n. f.) Acto de carácter religioso y solemne en el que un grupo de personas camina lentamente, siguiendo un recorrido y acompañando a una imagen religiosa: *las procesiones de Semana Santa*.

puertorriqueño/a (n. y adj.) Originario de Puerto Rico.

Q

quiché (adj.) Etnia de origen maya que vive en Guatemala.

quichua (también **quechua**) (adj.) Relativo a una comunidad aborigen que vive principalmente en la región andina de Perú y Bolivia.

quiteño (n. y adj.) Natural de la ciudad de Quito, Ecuador.

R

realismo (n. m.) Tendencia artística que representa lo más fielmente posible la realidad: *realismo literario, filosófico, pictórico,* etc.

realismo mágico (n. m.) Movimiento literario que se desarrolló en Latinoamérica a mediados del siglo XX. Entre sus principales representantes están el guatemalteco Miguel Ángel Asturias y el colombiano Gabriel García Márquez, ambos galardonados con el Premio Nobel de Literatura.

refrán (n. m.) Proverbio. Frase sentenciosa y aguda de uso común: *Cuentas claras conservan amistades. En boca cerrada no entran moscas.*

refugio (n. m.) Lugar para esconderse o protegerse.

región (n. f.) Zona de un territorio que comparte determinas circunstancias culturales, geográficas, históricas o de otro tipo. *Regiones del Caribe.*

reguetón (también **reggaetón**) (n. m.) Ritmo latinoamericano surgido en los años 90 que fusiona el reggae, el hip hop, la salsa, la bomba y el merengue, entre otros ritmos de la región. Tanto las letras como el baile son muy provocativos.

represa (n. f.) Lugar donde está retenida o almacenada el agua de manera natural o artificial.

república (n. f.) Sistema político en el que los representantes son elegidos por los ciudadanos para cumplir funciones de gobierno según normas y plazos preestablecidos.

Reyes Magos (n. m. pl.) Tres sacerdotes de Medio Oriente que, según la Biblia, visitan al niño Jesús recién nacido y le ofrecen valiosos regalos. En los países hispanohablantes y en algunos otros de tradición católica, se conmemora este hecho el 6 de enero y, este día, se hacen regalos a los niños.

rito (n. m.) Costumbre o ceremonia: *Tomar café después de comer es para él un rito. Los ritos de la religión católica.*

rioplatense: (n. m.) Se llama así a los habitantes, uruguayos y argentinos, de las orillas del Río de la Plata.

rodeo (n. m) Deporte de caballos. Su origen se sitúa en Chile.

rumba (n. f.) Música y baile de origen cubano que tiene sus raíces en África.

rupestre (arte) (adj.) Pinturas y dibujos prehistóricos realizados en las rocas de las cuevas.

S

sabana (n. f.) Llanura típica de zonas tropicales, de vegetación de tipo herbáceo, en la que hay árboles o arbustos aislados.

salsa (n. f.) Género musical y danza originarios de Cuba, muy popular en América Central y el Caribe y de gran difusión en el mundo. La salsa mezcla influencias de bailes africanos y europeos mediante la fusión de diferentes bailes: son, rumba, bomba, etc.

salvadoreño/a (n. y adj.) Originario de El Salvador.

sarraceno (n. m.) Nombre con el que los cristianos de la Edad Media denominaban de manera genérica a los árabes o a los musulmanes.

satirizar (v.) Expresar indignación hacia alguien o hacia algo, con un propósito moralizador, lúdico o burlesco.

serenata (n. f.) Composición musical que se canta de noche, al aire libre, en honor a una persona.

siniestro/a (adj.) Persona o lugar que da miedo.

simbiosis (n. f.) En Biología, asociación de dos organismos diferentes. También, relación muy estrecha entre dos o más personas o culturas.

sincretismo (n. m.) Sistema filosófico que trata de conciliar doctrinas diferentes que no son coherentes entre sí.

son (n. m.) Nombre común que reciben diversos géneros musicales de origen afrocaribeño-mestizo muy arraigados en algunos países de la cuenca del Caribe: México, Cuba, República Dominicana y otros.

submarinismo (n. m.) Actividades que se desarrollan en el fondo del mar con fines deportivos, científicos, militares, etc.

subtropical (adj.) De la zona cercana a los trópicos, o relativa a ella: *clima subtropical*.

sombrilla (n. f.) Especie de paraguas usado para protegerse del sol.

T

tango (n. m.) Género musical y danza de origen rioplatense, muy sensual. Apareció en el Río de la Plata (en el siglo XIX). Rosario, Montevideo y Buenos Aires se disputan el nacimiento del tango. El tango es una música, un baile y toda una cultura en sí.

tejo (n. m.) Deporte individual, en parejas o en equipos que consiste en arrojar un disco de madera o metal lo más cerca posible de otros discos.

telenovela (n. f.) Programa televisivo que se emite por capítulos, en el que se desarrolla una historia conflictiva de contenido amoroso. Las telenovelas son muy populares en Latinoamérica.

templado/a (adj.) Que no es ni frío ni caluroso: *En primavera, tenemos clima templado*.

termas (n. f. pl.) Baños públicos de aguas minerales que brotan naturalmente de la tierra a temperatura superior a la del ambiente: *Visitamos las termas de Arapey*.

termo (n. m.) Recipiente de cierre hermético y paredes dobles y aislantes que permite conservar la temperatura de las bebidas que se introducen en él.

tierno/a (adj.) Persona o cosa delicada, suave.

tinto (n. m.) En Colombia, café negro cargado.

toxicidad (n. f.) Grado de efectividad de un veneno.

trenzado/a (adj.) Peinado que se hace entretejiendo el pelo.

tribu (n. f.) Asociación política propia de pueblos primitivos, constituida por varias familias, generalmente de origen común.

tropical (adj.) De los trópicos, o relativo a ellos: *frutas tropicales*.

truco (n. m.) Juego de naipes, típico del Río de la Plata, que se juega con las cuarenta cartas de la baraja española.

U

UNESCO (n. f.) Organización de las Naciones Unidas para la Educación, la Ciencia y la Cultura.

uruguayo/a (n. y adj.) Originario de Uruguay.

V

venezolano/a (n. y adj.) Originario de Venezuela.

villancico (n. m.) Canción popular tradicional de España y Latinoamérica que se canta en Navidad. Los villancicos suelen ser alegres: *Campanilleros, Ya vienen los Reyes Magos*.

volantes (n. m. pl.) Adornos de ciertas prendas de vestir.

volcán (n. m.) Abertura en la tierra, generalmente en una montaña y en la cumbre de un cono formado por los materiales arrojados por donde salen, cuando el volcán es activo, magma y gases.

X

xilopintura (n. f.) Técnica que consiste en tallar la matriz de un xilograbado, pero sin realizar copias; esta matriz es la obra en sí misma y, posteriormente, se trata con pintura al óleo.

Y

yuca (n., f.) Arbusto perenne autóctono de América del Sur y extensamente cultivado por ser un alimento muy nutritivo. Se llama también *mandioca*.

Z

zarzuela (n. f.) Obra teatral, generalmente de asunto ligero, en que se canta alternativamente, muy popular en España. La palabra se emplea también para hablar de la música y de la letra de esta obra. *La alegría de la huerta, La gatita blanca, Bohemios,* son algunos títulos de zarzuelas.

Personajes importantes

Aguilera, **Cristina**: (1980-), estadounidense de origen ecuatoriano e irlandés, cantante, compositora, productora y actriz.

Allende, **Isabel**: (1942-), chilena, escritora. Ganó el Premio Nacional de Literatura en 2010. Es una de las escritoras de lengua española más leídas del mundo. Sus obras más famosas, entre otras, son *La casa de los espíritus* y *De amor y de sombra*.

Allende, **Salvador**: (1908-1973), chileno, médico y político. Fue presidente de Chile entre el 4 de noviembre de 1970 y el 11 de septiembre de 1973. Su gobierno terminó de forma trágica a causa del golpe de estado del 11 de septiembre de 1973.

Almodóvar, **Pedro**: (1949-), español, director de cine, guionista y productor. Ha recibido los principales premios cinematográficos internacionales, incluyendo dos Óscar. Entre sus películas más famosas se encuentran *Mujeres al borde de un ataque de nervios, Todo sobre mi madre, Volver*.

Alomía Robles, **Daniel**: (1871-1942), peruano, compositor. Es el autor de la famosa canción *El cóndor pasa*.

Alonso, **Alicia**: (1920-), cubana, bailarina del Ballet Nacional de Cuba y coreógrafa. Famosa por sus representaciones de *Giselle* y *Carmen*.

Asturias, **Miguel Ángel**: (1899-1974), guatemalteco, escritor y diplomático. Recibió el Premio Lenin de la Paz en 1965 y el Premio Nobel de Literatura en 1967. Sus obras más famosas, entre otras, son *El señor Presidente* y *Hombres de maíz*.

Bardem, **Javier**: (1969-), español, actor de cine. Es el primer español que ha ganado un premio Óscar por su papel en *No Country for Old Men* (2008). Además, ganó cinco Goyas, un Globo de Oro y el premio del Festival de Cannes al mejor actor.

Benedetti, **Mario** : (1920-2009), uruguayo, escritor y poeta. Pertenece a la Generación del 45. Entre los dramas que escribió, se puede citar *Pedro y el capitán*. Joan Manuel Serrat, cantante español, puso música a varios de sus poemas en un disco titulado *El sur también existe*.

Blades, **Rubén**: (1948-), panameño, cantante, compositor, músico, actor, abogado y político. Ha desarrollado la mayor parte de su carrera en los Estados Unidos. Ha recibido seis premios Grammy.

Bolívar, **Simón**: (1783-1830), venezolano, militar y político. Fue el fundador de la Gran Colombia. Contribuyó de manera decisiva a la independencia de Bolivia, Colombia, Ecuador, Panamá, Perú y Venezuela.

Borges, **Jorge Luis**: (1899-1986), argentino, escritor. Escribió ensayos, cuentos y poemas. Es uno de los autores más destacados de la literatura del siglo XX. Una de sus obras maestras es *El Aleph*.

Botero, **Fernando**: (1932-), colombiano, pintor, escultor y dibujante. Es el artista vivo de Latinoamérica más cotizado del mundo.

Calatrava, **Santiago**: (1951-), español, arquitecto y escultor. Sus puentes son muy famosos y tiene obras en muchos países. Ha recibido numerosos premios, entre los que destaca el Premio Príncipe de Asturias de las Artes en 1999.

Capablanca, **José Raúl**: (1888-1942), cubano, ajedrecista. Fue campeón mundial de ajedrez de 1921 a 1927. Lo llamaban "el Mozart del ajedrez".

Carpentier, **Alejo**: (1904-1980), cubano, escritor. Una de sus obras más conocidas es la novela *El siglo de las Luces*.

Castro, **Fidel**: (1926-), cubano, abogado y político. Después de la Revolución, en su país, ocupó los cargos de Primer Ministro (1959-1976) y Presidente (1976-2008). Actualmente, sigue siendo Primer Secretario del Partido Comunista y diputado de la Asamblea Nacional del Poder Popular por Santiago de Cuba.

Chávez, **Hugo**: (1954), venezolano, presidente de la República Bolivariana de Venezuela.

Convit, **Jacinto**: (1913-), venezolano, médico y científico. Es reconocido por desarrollar la vacuna contra la lepra, la leishmaniasis y por sus estudios para la curación de diversos tipos de cáncer. Ganó el Premio Príncipe de Asturias de Investigación Científica y Técnica en 1987.

Cortázar, **Julio**: (1914-1984), argentino, escritor y traductor. Era maestro del relato corto, de la prosa poética y de la narración breve en general. Una de sus obras más conocidas es *Rayuela*.

Cruz, **Penélope**: (1974-), española, actriz de cine. Fue ganadora de un Óscar y de tres premios Goya. Ha hecho películas en lengua española y también en otros idiomas: inglés, italiano y francés.

Darío, **Rubén**: (1867-1916), nicaragüense, poeta. Es un representante del Modernismo literario en lengua española. Entre su obra, se puede citar *Azul*, un libro de cuentos y poemas.

de Cervantes, **Miguel**: (1547-1616), español, soldado, novelista, poeta y dramaturgo. Es mundialmente conocido sobre todo por ser el autor de *El ingenioso hidalgo Don Quijote de la Mancha*, libro considerado como la primera novela moderna y una de las mejores obras de la literatura universal.

de la Renta, **Óscar**: (1932-), dominicano, diseñador de modas. Ha recibido importantes premios, por ejemplo, en 2002, recibe en España el popular premio Aguja de Oro y, en 2011, se le concede la Gran Cruz de la Orden de Mérito Civil, como Presidente del «Queen Sofía Spanish Institute» de Nueva York.

de Santiago, **Miguel**: (1626-1706), ecuatoriano, pintor. Representante de la Escuela Quiteña del siglo XVII. Las obras de la Escuela Quiteña se caracterizan por la combinación y adaptación de rasgos europeos e indigenistas.

del Toro, **Benicio**: (1967-), puertorriqueño, actor de cine. Ha ganado un Óscar, un Globo de Oro y el premio al mejor actor en el Festival de Cannes. Actuó en *Traffic* y en *Che, el argentino*, entre otros.

Domingo, **Plácido**: (1941-), español, cantante lírico (tenor) y director de orquesta. Es reconocido como el tenor más importante de todos los tiempos.

Drexler, **Jorge**: (1964-) uruguayo, cantautor, músico y compositor, también es Doctor en Medicina. En 2005 ganó el Óscar de la Academia de Hollywood por su canción *Al otro lado del río*.

Forlán, **Diego**: (1979-), uruguayo, futbolista. Juega en el Inter de Milán de la liga italiana. Es considerado como uno de los mejores jugadores de fútbol del mundo.

Fuentes, **Carlos**: (1928-), mexicano, escritor. Ganador del Premio Cervantes en 2009. Una de sus novelas más conocidas es *Cambio de piel*.

García, **Andy**: (1956-), cubano-estadounidense, actor de cine. Actuó en *El Padrino III*.

García Bernal, **Gael**: (1978-), mexicano, actor de teatro, televisión y cine. Actuó en las películas *Diarios de motocicleta,* del brasileño Walter Salles, y en *La mala educación,* de Pedro Almodóvar.

García Márquez, **Gabriel**: (1927-), colombiano, escritor, guionista y periodista. Es conocido familiarmente como *Gabo*. En 1982 recibió el Premio Nobel de Literatura. Su creación se relaciona con el género literario del realismo mágico. Su obra más famosa es *Cien años de soledad*.

Guevara, **Ernesto "Che"**: (1928-1967), argentino, político, escritor, periodista y médico. Fue uno de los ideólogos y comandantes de la Revolución Cubana (1953-1959). Quiso extender la lucha armada en todo el Tercer Mundo. Entre 1965 y 1967 combatió en el Congo y en Bolivia. En este último país murió el 9 de octubre de 1967.

Juanes: (1972-), colombiano, cantante, compositor. Una de sus canciones más conocidas se titula *La camisa negra*.

Kahlo, **Frida**: (1907-1954), mexicana, pintora. Su obra se caracteriza por una síntesis de elementos expresionistas y surrealistas, con una temática popular y autobiográfica. Entre sus magníficas obras, destacan *Autorretrato con traje de terciopelo* y *Frida y Diego Rivera* o *Frida Kahlo y Diego Rivera*.

López, **Jennifer**: (1969-), estadounidense de ascendencia latinoamericana, actriz, cantante, bailarina y empresaria. Es considerada como la artista hispana con mayor influencia en los Estados Unidos.

Macapagal-Arroyo, **Gloria**: (1947-), filipina, presidenta de Filipinas desde 2001 hasta 2010. Recibió el Premio Internacional Don Quijote 2009.

Menchú, **Rigoberta**: (1959-), guatemalteca, líder indígena y defensora de los derechos humanos. Es Embajadora de Buena Voluntad de la UNESCO. Ha recibido el Premio Nobel de la Paz y el Premio Príncipe de Asturias de Cooperación Internacional.

Messi, **Lionel**: (1987-), argentino, futbolista. Juega en la Primera División de España con el Fútbol Club Barcelona y en la Selección de fútbol de Argentina. Se le considera el mejor jugador del mundo.

Ndongo-Bidyogo, **Donato**: (1950-), ecuatoguineano, escritor, periodista y político. Es autor de diversos libros de narrativa, ensayo y poesía. Dentro de la narrativa, edita en 1987 *Las tinieblas de tu memoria negra*, quizás su mejor novela.

Neruda, **Pablo**: (1904-1973), poeta chileno. Fue llamado "el más grande poeta del siglo XX en cualquier idioma" por el novelista Gabriel García Márquez. Recibió el Premio Nobel de Literatura en 1971. Entre sus obras más famosas, destacan *Veinte poemas de amor y una canción desesperada* y *Residencia en la tierra*.

Núñez del Pardo, **Marina**: (1908-1995), boliviana, escultora. Trabajó principalmente con granito negro y con muchos tipos de maderas de Bolivia.

Oller, **Francisco**: (1833-1917), puertorriqueño, pintor. Una de sus obras más famosas se titula *El velorio*.

Parra, **Violeta**: (1917-1967), chilena, cantautora, pintora, escultora y ceramista. Es considerada por muchos como la folclorista más importante de Chile y la fundadora de la música popular chilena.

Patarroyo, **Manuel Elkin**: (1946-), colombiano, inmunólogo. Descubrió la vacuna contra la malaria. En 1994 obtiene el Premio Príncipe de Asturias de Investigación Científica y Técnica.

Paz, **Octavio**: (1914-1998), mexicano, poeta, escritor, ensayista y diplomático. Obtuvo el premio Nobel de Literatura (1990). Se le considera uno de los más grandes escritores del siglo XX. Uno de sus ensayos más famosos es *El laberinto de la soledad*.

Piazzola, **Astor**: (1921-1992), argentino, bandoneonista y compositor. Fue uno de los músicos de tango más importantes de la segunda mitad del siglo XX.

Pizarro, **Francisco**: (1478-1521), español, explorador y conquistador de Perú. Se impuso sobre el imperio de los incas. Era conocido como Apu (Jefe, Señor, General) o Machu Capitán (Viejo capitán).

Quilapayún: (en lengua mapuche, significa *Tres Barbas*), grupo chileno formado en 1965, muy conocido mundialmente. En 1968 graban el LP *Por Vietnam,* en el que adoptan el estilo que los convertirá en representantes de la canción popular revolucionaria. En 1970 graban la *Cantata Santa María de Iquique* de Luis Advis, que se vuelve una obra esencial de la música chilena.

Quino: (Joaquín Salvador Lavado/1932-), argentino, humorista gráfico y creador de historietas. Su obra más famosa es la serie cómica *Mafalda*.

Roa Bastos, **Augusto**: (1917-2005), paraguayo, escritor. Ganador del Premio Cervantes. Una de sus obras más famosas es *Yo el Supremo*.

Romero, **Óscar**: (1917-1980), conocido como Monseñor Romero, salvadoreño, sacerdote católico y arzobispo de San Salvador (1977-1980). Se hizo famoso por su defensa de los derechos humanos.

Salvadó, **Albert**: (1951-), andorrano, escritor. Escribió cuentos infantiles, ensayos y novelas. Ha ganado numerosos premios. Entre ellos: Premio Carlemany, Premio Fiter i Rossell del Círculo de las Artes y de las Letras, y dos veces el Premio Néstor Luján de novela histórica. Entre sus obras, destacan *El maestro de Keops* o *Jaime I el Conquistador*.

Sanz, **Alejandro**: (1968-), español, músico, compositor y cantante. Ha ganado quince veces el Grammy latino y dos Grammy.

Shakira: (1977-), colombiana, cantautora, compositora y productora discográfica del género pop-rock en español e inglés. El éxito internacional le llegó en 2001 con su disco *Servicio de lavandería*. Ha ganado en dos ocasiones el Premio Grammy y siete veces el Grammy Latino.

Sosa, **Mercedes**: (1935-2009), argentina, cantante. Su canción más conocida es *Gracias a la vida*.

Sosa, **Roberto**: (1930-), hondureño, poeta. Es considerado como uno de los más prestigosos poetas en su país. En 1990, el gobierno de Francia le otorgó el grado de Caballero en la Orden de las Artes y las Letras.

Vargas, **Chavela**: (1919-), costarricense, nacionalizada mexicana, cantante. Sus canciones de género (rancheras y boleros) son muy famosas.

Vargas Llosa, **Mario**: (1936-), peruano, escritor. Es considerado como uno de los novelistas contemporáneos más importantes. Ha obtenido numerosos premios, entre los que destacan el Nobel de Literatura en 2010. Entre sus novelas destaca *La ciudad y los perros* y *La casa verde*.

Woss y Gil, **Celeste**: (1891-1985), dominicana, pintora. Pintaba sobre todo a las mujeres de su país.

Zapata, **Emiliano**: (1879-1919), mexicano. Conocido como el *Caudillo del Sur*, fue uno de los líderes más importantes durante la Revolución Mexicana.

Soluciones

1 Argentina

Presentación: **1**. **a**. Chile, Bolivia, Paraguay, Brasil, Uruguay / Brasil. **b**. 1810. **c**. Proviene del latín *argentum* (plata), porque los primeros conquistadores creían que en Argentina había una sierra con plata. **d**. José de San Martín. **e**. El océano Atlántico. **f**. Más de 13 millones. **g**. Automóviles, petróleo, gas, maíz, carne de vaca, etc.
2. **a**. Rioplatense. **b**. La Pampa. **c**. ARS.
d. El Aconcagua. **e**. El Gran Buenos Aires.

Día a día: **1**. Dulce: flan, alfajor, dulce de leche. Salado: albóndiga, empanada, asado, milanesa a la napolitana. **2**. **a**. Una vino. **b**. Uruguay, Paraguay y Argentina. **c**. El fútbol. **d**. por la mañana. **3**. cancha, partido, restaurante, discoteca.

Fiestas: **1**. **a**. abril. **b**. febrero. **c**. agosto. **d**. enero. **e**. marzo. **f**. julio. **2**. **a**. F. **b**. F. **c**. V. **3**. **a**. rock. **b**. se elige a la Reina de la Vendimia.

Cultura: **1**. **a**. Candombe africano, pasodoble y zarzuela, otros ritmos de los inmigrantes. **b**. No se sabe si era francés o uruguayo. **c**. *La historia oficial*. **d**. Materiales reciclados: latas, cartones, trozos de madera... **2**. **a**. *Mi Buenos Aires querido*. **b**. *Yira Yira*. **3**. **a**. un personaje de cómic. **b**. Madonna. **c**. un escritor. **d**. trabajo.

De viaje: **2**. **a**. de la época de la colonización. **b**. Buenos Aires. **c**. *rafting*. **d**. se ocupaba del ganado. **3**. Horizontal: Bariloche, Talampaya, Mendoza, Iguazú / Vertical: Buenos Aires, Puerto Madryn.

2 Bolivia

Presentación: **1**. **a**. casi diez millones de habitantes. **b**. el número de aves y anfibios. **c**. quechua y aimara. **2**. **a**. F. **b**. F. **c**. F. **d**. V. **3**. **a**. Argentina, Chile, Perú, Brasil, Paraguay. **b**. Del libertador latinoamericano Simón Bolívar. **c**. Porque producía metales preciosos (plata...). **d**. En la región cálida al noreste de la Cordillera Real y las regiones del sureste boliviano. **e**. A 53 km de La Paz.

Día a día: **1**. **a**. una falda típica. **b**. un medio de transporte. **c**. un tipo de patata. **d**. una bebida. **2**. **a**. colectivos / micros. **b**. colonial. **c**. salteñita. **d**. 3000. **3**. **a**. F. **b**. F. **c**. V. **d**. F. **e**. V.

Fiestas: **1**. **a**. favores/de la Virgen de Urkupiña. **b**. tortura. **c**. la Pachamama. **2**. Horizontal: Cueca, Morenada / Vertical: Diablada, Caporal. **3**. **a**. expresar el respeto por algo o alguien a través de un ritual o ceremonia. Homenajear. **b**. poner una rodilla sobre el suelo. **4**. **a**. tradición. **b**. Pachamama. **c**. esclavos. **d**. bailarines.

Cultura: **1**. **a**. Las Misiones de Chiquitos. **b**. una escultora. **2**. los wawakis, los arawicus y los takiyis / porque solo se mantienen por tradición oral. **3**. **a**. 3. **b**. 4. **c**. 2. **d**. 1. **4**. **a**. Dar una alternativa a los jóvenes al abandono escolar, a la drogadicción, a la delincuencia y a la prostitución. **b**. En las Misiones de Chiquitos. **c**. Al borde del lago Titicaca. **5**. **a**. quena, zampoña o sikus. **b**. arawicu y takiyis.

De viaje: **1**. **a**. Tradicional, cultural, verde, para aventureros. **2**. **a**. V. **b**. F. **c**. F. **d**. F. **3**. **a**. orígenes. **b**. octubre. **c**. color. **d**. caimán / aves. **e**. aimara.

3 Chile

Presentación: **1**. **a**. El océano Pacífico. **b**. Los terremotos. **c**. Bernardo O'Higgins. **d**. Augusto Pinochet. **2**. **a**. F. **b**. F. **c**. F. **d**. V. **e**. F. **f**. V. **g**. F. **h**. V. **i**. V. **3**. En el momento del golpe de estado de Augusto Pinochet.

Día a día: **1**. **a**. F. **b**. F. **c**. F. **d**. F. **e**. F. **2**. **a**. Hallulla. **b**. Sopaipilla. **c**. Pisco Sour. **d**. *Malls*. **3**. **a**. pisco, cola de mono, marraqueta, té. **4**. **a** El fútbol. **b**. Comprar ropa, alimentos, ir al cine, al restaurante... **c**. Camisa blanca, jumper y medias. **d**. El Viejo Pascuero.

Fiestas: **1**. El inicio del proceso independentista. **2**. **a**. F. **b**. F. **c**. F. **d**. V. **3**. **a**. exigente. **b**. máscaras de gran tamaño. **c**. una fonda. **4**. **a**. banderas. **b**. cueca. **c**. huasos.

Cultura: **1**. **a**. *La Casa de los espíritus / De amor y de sombra*. **b**. Ángel Parra (su nieto) **c**. Víctor Jara, Isabel Parra, Quilapayún, Inti Ilimani. **d**. Isabel Parra (su hija). **e**. Mercedes Sosa, Joan Manuel Serrat, Joan Baez. **2**. **a**. después del golpe de estado de 1973. **b**. sobrina de Salvador Allende.

De viaje: **3**. **a**. Valparaíso. **b**. San Pedro de Atacama. **c**. Valle de la Luna. **d**. Isla negra. **4**. **a**. En el cerro Florida de Valparaíso está La Sebastiana, en Santiago, La Chascona y en la costa central está la de la Isla Negra. **b**. Enormes dioses de piedra que se encuentran en la Isla de Pascua. **5**. Horizontal: Playa, Pacífico / Vertical: Funicular, Observatorio.

4 Colombia

Presentación: **1**. **a**. Perú, Ecuador, Panamá, Venezuela, Brasil. **b**. El océano Pacífico y el océano Atlántico. **c**. De Cristóbal Colón. **d**. Se encuentra a 2640 m de altitud. **e**. Porque Colombia está situada en el Trópico de Cáncer. **f**. Una república.
2. **a**. Esmeralda. **b**. El Dorado. **c**. Simón Bolívar
3. Horizontal: Medellín, Bogotá / Vertical: Cali, Cartagena.

Día a día: **1**. **a**. 3. **b**. 2. **c**. 4. **d**. 1. **2**. **a**. Un café solo, cargado. **b**. Queso. **c**. Una planta medicinal. **3**. **a**. Los koguis. **b**. Santafereño. **c**. Tejo. **4**. Pollo, frutas tropicales, arroz, cerdo, frijoles, papas, maíz. **6**. Una sopa de papas con pollo y maíz. **7**. Alan Ereira.

Fiestas: **1**. Flores, desfile, disfraces, Joselito. **2**. Popayán, Mompo, Pamplona. **3**. **a**. F. **b**. F. **c**. V. **d**. V. **4**. **a**. el entierro de Joselito Carnaval. **b**. el Día del Amor y la Amistad. **c**. Popayán. **d**. salir a divertirse de noche.

Cultura: **1**. **a**. V. **b**. V. **c**. F. **d**. F. **e**. V. **2**. **a**. Porque el cantante está triste, su amor ya no existe... **b**. hechizo **c**. llorar la muerte de alguien **3**. **a**. Pop, *rock*... **b**. Nueva York, Madrid, Florencia... **c**. La vacuna contra la malaria. **d**. Sergio Cabrera.

De viaje: **2**. UNESCO, Escultura, Águila, Piedra, Mitología. **3**. **a**. 3. **b**. 4. **c**. 2. **d**. 1. **4**. **a**. San Andrés, Providencia y Santa Catalina. **b**. Cartagena, San Andrés, Gorgona... **c**. Cartagena de Indias, Parque Arqueológico San Agustín... **d**. Caldas, Quindío y Risaralda. **5**. **a**. En antiguas haciendas cafeteras. **b**. Arrecifes de coral y fauna marina. **c**. El reggae, el calypso, el merengue, la salsa y el reguetón. **d**. Don Pedro de Heredia, en 1533.

5 Costa Rica

Presentación/Día a día/Fiestas: **1**. **a**. En 1949. **b**. En 1848. **c**. Costa Rica, Nicaragua, El Salvador, Honduras y Guatemala. **d**. Óscar Arias Sánchez. **e**. Ticos. **f**. José Santamaría. **2**. **a**. ¡Pura vida! **b**. Café. **c**. un nivel de alfabetización alto. **3**. Antorcha, desfiles, linternas, punto guanacasteco, toros.

Cultura/De viaje: **1**. **a**. F. **b**. V. **c**. F. **d**. F. **2**. **a**. un ritmo musical. **b**. un instrumento musical. **c**. una cantante. **3**. **a**. Muchos paisajes que se ven en la película son de allí. **b**. Museo del oro, Museo del Jade. **c**. La Generación del desencanto. **d**. Diego Rivera y Frida Kahlo.

6 Cuba

Presentación: **1**. **a**. F. **b**. F. **c**. V. **d**. F. **e**. F. **f**. F. **g**. V. **h**. F. **i**. F. **j**. F. **2**. **a**. tabaco. **b**. huracanes. **c**. pájaro. **3**. **a**. 1959. **b**. 1492. **c**. 1868. **d**. 1902. **e**. 1898.

Día a día: **1**. **a**. el camello. **b**. La shopping. **c**. Congrí. **d**. Y. **2**. **a**. Comidas: congrí, ajiaco, tamal, moros y cristianos / bebidas: mojito, daiquirí, piña colada. **3**. **a**. F. **b**. V. **c**. F. **d**. F. **e**. V. **f**. F. **g**. F. **h**. F.

Fiestas: **1**. **a**. La Fiesta del Fuego. **b**. El papa Juan Pablo II. **c**. Discursos y manifestaciones. **2**. **a**. F. **b**. V. **c**. V. **d**. F. **3**. **a**. Cenizas. **b**. Por su ropa blanca y sus pulseras coloridas. **c**. Africana y católica. **d**. Orishas.

Cultura: **1**. **a**. 3. **b**. 1. **c**. 6. **d**. 2. **e**. 7. **f**. 4. **g**. 5. **2**. **a**. F.

b. V. **c**. F. **d**. V. **e**. F. **f**. F. **g**. V. **3**. Intenta respetar a los dos/La amistad.

De viaje: **1**. La Habana: Tropicana, Floridita, Fortaleza de la Cabaña, Bodeguita del Medio / Playas: Cayo Largo, Varadero, Santa Clara / Otros lugares: Trinidad, Guamá, Camagüey. **2**. **a**. un cabaret. **b**. hay plantaciones de tabaco. **c**. un criadero de cocodrilos. **4**. Trinidad.

7 Ecuador

Presentación: **1**. **a**. La cordillera de los Andes, la costa, el Oriente. **b**. 13,3 millones. **c**. En las zonas montañosas. **d**. Quito. **e**. De la línea ecuatorial que atraviesa su territorio. **2**. **a**. plátanos. **b**. yuca y maíz. **c**. entre los hemisferios norte y sur. d. un pueblo amerindio de hoy. **3**. **a**. F. **b**. F. **c**. V. **d**. V.

Día a día: **1**. **a**. A los 23 años en las ciudades y a los 14 años en el campo. **b**. No. "La gente llega con un poco de retraso, ya que la puntualidad no reina en este país". **c**. 3 millones. / A España, Estados Unidos e Italia. **2**. constitución, derechos, discriminación. **3**. c, d, f . **4**. **a**. Otavalo. **b**. un tramo de vías de tren. **c**. casa.

Fiestas: **1**. **a**. 3. **b**. 1. **c**. 4. **d**. 2. **2**. **a**. una bebida. **b**. Navidad. **c**. personajes de la vida pública. d. la Fiesta de las frutas y las flores. **3**. **c**. En agosto, en Quito.

Cultura: **1**. **a**. Un escritor. **b**. Un atleta. **c**. una película. **d**. Un músico del siglo XX. **e**. Cuenca, por su arquitectura. **f**. Un instrumento de música. **2**. Tachar: arroz, cóndor, quichua, pingüino.

De viaje: **1**. **a**. A 1000 km. **b**. Isla Fernandina, isla Española. **c**. Fray Tomás de Berlanga. **d**. Charles Darwin. **2**. Horizontal: Iguana, Tortugas / Vertical: Pingüino, Albatros. **3**. **a**. F. **b**. V. **c**. F. **d**. V.

8 El Salvador

Presentación/Día a día: **1**. **a**. Cucastlán. Significa "la tierra de las cosas preciosas". **b**. Un sacerdote que luchó contra las injusticias. **c**. Lempa. **2**. **a**. 2. **b**. 4. **c**. 3. **d**. 1. **e**. 5. **3**. **a**. ...es el izote. **b**. Se dice que una ciudad perdida... **c**. Las pupuserías son restaurantes. **d**. El Salvador tiene más... **4**. **a**. F. **b**. F. **c**. F. **d**. V. **e**. V. **f**. V. **g**. V.

Fiestas/Cultura/De viaje: **1**. **a**. su artesanía. **b**. la cumbia. **c**. Morazán. **d**. Joya de Cerén. **2**. Horizontal: Salsa, Chapetones / Vertical: Cumbia, Chanchona. **3**. **a**. murales. **b**. surf. **c**. escritores. **d**. pirámides.

9 España

Presentación: **1**. **a**. Tachar: Galicia, La Mancha. **b**. Tachar: 16 millones, 60 millones, 30 millones. **2**. **a**. El español o castellano. **b**. Sí y son oficiales: el gallego, el catalán y el euskera. **c**. La muralla y la torre de homenaje. **d**. En la meseta, son fríos y en la costa, suaves. **e**. En Salamanca. **3**. **a**. V. **b**. F. **c**. V. **d**. F. **e**. V. **f**. V. **g**. F. **h**. V.

Día a día: **1**. Se levanta temprano y se acuesta tarde. **2**. **a**. el almuerzo. **b**. salir de noche. **c**. Javier y María por la iglesia, Inés y Ana por el juzgado, Carlos y Mercedes por el juzgado. **3**. **a**. Pérez García **b**. Sí, porque sirven el almuerzo de las dos a las cuatro. **c**. Una competición nacional de fútbol. **d**. Pescado. **e**. Paella, tortilla española... **f**. Del árabe/ aceituna, naranja... **4**. **a**. F. **b**. F. **c**. V. **d**. F.

Fiestas: **1**. **a**. F. **b**. V. **c**. F. **d**. F. **3**. Tirar de las orejas al festejado, un tirón por cada año que cumple. **4**. comen 12 uvas.

Cultura: **1**. Miguel de Cervantes, Don Quijote de la Mancha, idealismo, realismo. **2**. **a**. 4. **b**. 5 **c**. 2. **d**. 3. **e**. 1. **3**. Horizontal: Picasso, El Greco, Velázquez / Vertical: Dalí, Miró, Goya. **4**. **b**. Venecia. **d**. Sevilla. **f**. Bilbao. **g**. Atenas.

De viaje: **1**. **a**. En Madrid, en el Museo Nacional de Arte Reina Sofía. **b**. En El Ciego, la Rioja. **c**. En un parador de turismo. **d**. En la Mancha. **2**. **a**. F. **b**. F. **c**. V. **d**. F. **e**. F. **3**. Tachar: gigantes, Don Quijote, Dulcinea, la novia de Don Quijote. **4**. 1. **e**. 2. **f**. 3. **d**. 4. **a**. 5. **c**. 6. **b**.

10 Guatemala

Presentación/Día a día/Fiestas: **1**. **a**. F. **b**. F. **c**. V. **d**. F. **e**. V. **f**. V. **2**. **a**. marimba, ritmos, xilofón. **b**. mano, naturaleza. **c**. población, indígena, maya. **d**. alfombras, plumas de aves, señores. **3**. **a**. 3. **b**. 6. **c**. 2. **d**. 1. **e**. 5. **f**. 4. **4**. **a**. Fue la tercera ciudad en importancia. Comerciaba con cacao, azúcar y añil. **b**. Fiestas de Máscaras, Festival de Barriletes Gigantes...

Cultura/De viaje: **1**. **a**. *Popol Vuh*. **b**. Maíz. **c**. Menchú y Asturias. **2**. **a**. jaguar. **b**. coatí. **c**. puma. **3**. **a**. Miguel Ángel Asturias. **b**. Pirámides. **c**. Un terremoto. **d**. En Verapaces y Petén.

11 Guinea Ecuatorial

Presentación/Día a día/Fiestas: **1**. **a**. Con Camerún al norte y con Gabón al sur y al este. **b**. La isla de Corisco o Mandji. **c**. El franco CFA. **d**. Mono, leopardo, elefante... **e**. La pobreza y un nivel de analfabetismo muy elevado. **2**. **a**. Ecuatoguineanos. **b**. Pepesup. **c**. Yuca. **d**. Petróleo y sus derivados. **3**. **a**. F. **b**. F. **c**. V. **d**. F. **e**. V.

Cultura/De viaje: **1**. **a**. La Catedral y la Casa de España. **2**. **a**. Un escritor. **b**. Animales. **c**. Nigeria y Camerún. **3**. **a**. En la isla de Bioko, sus bonitas playas. **b**. Cuenta la vida de una generación de ecuatoguineanos a través de la historia del país. **c**. 3.

12 Honduras

Presentación/Día a día/Fiestas: **1**. **a**. Mestizos, garifunas y diversas etnias indígenas. **b**. Tapado, sopas, baleadas, pollo a la choluteca. **c**. generosidad, reciprocidad. **d**. Uno de los héroes nacionales de Honduras. **2**. **a**. 5. **b**. 6. **c**. 2. **d**. 1. **e**. 4. **f**. 3. **3**. dominó, tapado, baleadas. **4**. Los lencas suelen realizar exhibiciones en público y los bailarines son hombres. Las garifunas hacen participar al público y las mujeres son las protagonistas.

Cultura/De viaje: **1**. **a**. primitivista. **b**. su estela de piedra. **2**. **a**. 2. **b**. 1. **c**. 4. **d**. 3. **3**. **a**. F. **b**. F. **c**. V. **d**. F. **4**. Flora: pino, cedro, caoba. Fauna: mono, mapache, ardilla, tucán, guacamayo.

13 México

Presentación: **1**. **a**. F. **b**. F. **c**. V. **d**. V. **e**. F. **f**. V. **g**. V. **h**. F. **2**. Tachar: **a**. Yucatán, Cozumel, Chihuahua. **b**. 26 millones, 10 millones, 85 millones. **3**. **a**. Produce tabaco, productos químicos, alimentarios y textiles, minería y combustibles y plata. **b**. En 1847, cuando finaliza la guerra contra EE.UU. **4**. Horizontal: azteca, tolteca / Vertical: olmeca, maya.

Día a día: **1**. Un charro (jinete) machista con un sombrero grande, pistolas y bigotes. **2**. **a**. el maíz, el chile. **b**. el nacimiento de un hijo, los 15 años de una jovencita. **c**. el fútbol, el béisbol. **3**. **a**. Amuletos, cruces, calaveras... **b**. En el lago Texcoco. **c**. Del jugo de agave. **d**. Se van en busca de trabajo y mejores condiciones de vida.

Fiestas: **2**. **a**. F. **b**. V. **c**. V. **d**. V. **3**. **a**. 3. **b**. 4. **c**. 5. **d**. 1. **e**. 2. **4**. **a**. cantan "Mañanitas". **b**. Fiesta brava.

Cultura: **1**. Juan Rulfo, Pedro Páramo, gente de provincias, sencillo. **2**. **a**. 3. **b**. 1. **c**. 6. **d**. 5. **e**. 4. **f**. 7. **g**. 2. **3**. **b**. Molotov. **d**. Siqueiros. **e**. glifos. **4**. **a**. Amor, ilusión, nostalgia. **b**. Agustín Lara, Armando Manzanero, Pedro Vargas... **c**. Diego Rivera, Rufino Tamayo... **d**. *El laberinto de la soledad*.

De viaje: **1**. **a**. V. **b**. F. **c**. V. **d**. V. **2**. **a**. En Oaxaca. **b**. En Guanajuato. **c**. En Chichen Itzá. **d**. En Cabo San Lucas. **3**. Tachar: la casa de Mozart, ruinas romanas, castillos, playas sobre el Océano Índico, escasa vida cultural. **4**. 1. **b**. 2. **c**. 3. **a**. 4. **d**.

14 Nicaragua

Presentación/Día a día: **1**. **a**. gallo pinto. **b**. Walker. **c**. miskitos. **d**. juventud. **e**. maíz. **f**. marines. **g**. nicas. **h**. Sandino. **i**. aludo. **j**. coco. **k**. Somoza. **l**. huipil.

Fiestas/Cultura/De viaje: **1**. **a**. una comunidad de artistas. **b**. modernismo. **c**. la explosión del volcán Bombacho. **2**. **a**. una influencia, simbolismo.

b. archipiélago, comunidad. **3. a**. 5. **b**. 3. **c**. 4. **d**. 2.
e. 1. **4**. pájaro, orquídea, tortuga.

15 Panamá

Presentación/Día a día: **1. a**. Costa Rica y Colombia.
b. Porque comunica los océanos Atlántico y Pacífico.
c. Mestizos, mulatos, negros, blancos, chinos.
d. Vasco Núñez de Balboa. **e**. Sus textiles con
bordados muy coloridos. **f**. Por los metales preciosos
que transportaba. **g**. Una república formada por
Colombia, Venezuela, Ecuador y Panamá. **h**. Vaca,
cerdo y pollo. **i**. Roberto Durán. **2**. tropical-húmedo,
bosques tropicales, sabanas. **3. a**. Mar del Sur.
b. Guandú o frijol de palo **c**. Henry Morgan.

Fiestas/Cultura/De viaje: **1. a**. La fortaleza de San
Lorenzo, el casco viejo de la ciudad de Panamá.
b. Rubén Blades, Bertalicia Peralta. **c**. Rubén Blades.
2. a. 4. **b**. 6. **c**. 2. **d**. 3. **e**. 1. **f**. 5. **3. a**. negra. **b**. círculo,
velas. **c**. tambor, cantalante. **d**. pollera. **e**. abusiones.

16 Paraguay

Presentación: **1. a**. V. **b**. F. **c**. F. **d**. V. **e**. F. **2. a**. 1, 4, 6.
b. 2, 3, 5, 7. **3. a**. Argentina, Bolivia y Brasil.
b. Produjo el empobrecimiento del país y la pérdida
de casi todos los hombres jóvenes. **c**. Puede producir
energía hidroeléctrica. **d**. Porque permite dar una
música dulce y melancólica, que se parece al alma
de este país. **e**. Soja, caña de azúcar, tabaco, mate...

Día a día: **1. a**. 3. **b**. 5. **c**. 7. **d**. 4. **e**. 6. **f**. 2. **g**. 1. **2. a**. F.
b. V. **c**. V. **d**. F. **e**. F. **3**. tereré, la menta. **4. a**. El koserevá.
b. Tienen una vida tranquila, viven sin prisas.
c. Desde 1971-

Fiestas: **1. a**. 6. **b**. 2. **c**. 3. **d**. 5. **e**. 4. **f**. 1. **2**. Horizontal:
Juegos, Carayao, Teatro / Vertical: Procesión,
Jineteada. **3. a**. una bebida mágica de origen
guaraní. **b**. la muerte y la mala suerte. **c**. una
exhibición de caballos.

Cultura: **1**. Tachar: Olga Blinder, xilopintura, Roa
Bastos. **2. a**. Jeremy Irons, Robert de Niro. **b**. Josefina
Plá, Lilí del Mónico, José Laterza Parodi, Olga Blinder.
Crearon un grupo "Arte Nuevo" que marcó una
ruptura con las formas académicas. **3. a**. 2. **b**. 4. **c**. 1.
d. 3. **4. a**. Horizontal: Plá, Vera / Vertical: Blinder,
Karlik.

De viaje: **1. a**. una ciudad. **b**. barroco hispano-
guaraní. **c**. Caacupé. **d**. II **e**. la Región Oriental.
3. Yaguareté, yacaré, aguará guazú. **4. a**. Ypacaraí.
b. Asunción **c**. Itá. **d**. Piribebuy.

17 Perú

Presentación: **1. a**. Al oeste, la costa, en el centro, la
sierra, en la cordillera de los Andes y al este, la selva

amazónica. **b**. Al oeste, junto al océano Pacífico.
c. Hace más de 5000 años. **d**. El imperio de los incas.
e. En el centro histórico de Lima. **f**. Vicuñas, llamas y
alpacas. **g**. La papa o patata. **h**. Cuarenta mil.
i. Treinta y cinco. **2. a**. Pizarro. **b**. Maca. **c**. Vicuñas,
llamas y alpacas. **d**. Selva amazónica.

Día a día: **1**. b, d, a, c, e. **2. a**. Viernes por la noche.
b. Un restaurante famoso. **c**. Por cuestiones
laborales. **3. a**. Atienden a la familia, cuidan la casa y
también trabajan la tierra. Cuando emigran a la
ciudad, trabajan como personal doméstico.
b. Gastón Acuario Jaramillo. **c**. Es de origen
multiétnico con un alto grado de mestizaje. **d**. La
chicha de jora. **e**. El vóley y el fútbol.

Fiestas: **1. a**. Octubre. **b**. Junio. **c**. Julio. **d**. Diciembre.
2. a. V. **b**. F. **c**. F. **3. a**. un año. **b**. en el solsticio de
invierno. **4. a**. paso. **b**. devoto. **c**. maleta.

Cultura: **1. a**. *La flor de la canela*. Es un vals peruano.
b. *If I could*. **c**. Afroperuano, andino y *jazz*. **2. a**. *La flor
de la canela*. **b**. *Quién se comió a mi gato*.
3. a. *Tradiciones Peruanas, Los heraldos negros, La
ciudad y los perros...* **b**. Gustave Eiffel. **d**. *Pantaleón y
las visitadoras*.

De viaje: **2. a**. Chachapoyas, Chinata, Miraflores,
Nasca. **b**. 1500 años. **c**. Kuélap, Chachapoyas, la
Laguna de los Cóndores... **d**. Los chachapoyas. **e**. Un
centro religioso o un palacio de descanso construido
para el Inca. **f**. Inti Puncu (Puerta del Sol).

18 Puerto Rico

Presentación/Día a día/Fiestas: **1. a**. Su nombre
viene de las riquezas que salían del puerto de San Juan
para España. **b**. Español e inglés. **c**. Farmacéuticas,
petroquímicas, electrónicas y textiles. **d**. Durante la
Cuaresma. **2. a**. F. **b**. F. **c**. V. **d**. V. **3. a**. 2. **b**. 3. **c**. 1.
4. a. Piragua. **b**. Dólar. **c**. Puerto Rico. **d**. Taínos.

Cultura/De viaje: **1. a**. 4. **b**. 1. **c**. 2. **d**. 3. **2. a**. Un
cuadro de Francisco Oller. **b**. Playa Flamenco.
c. Buceo, pesca, kayak, surf... **d**. Un instrumento de
percusión de origen indígena. **e**. Ernesto Che
Guevara. **f**. Cuatro. **g**. Es escritor y presentador de
radio y televisión. **3. a**. 2. **b**. 3. **c**. 4. **d**. 1.

19 República Dominicana

Presentación/Día a día/Fiestas: **1. a**. V. **b**. V. **c**. F. **d**. F.
e. F. **2. a**. 4. **b**. 1. **c**. 2. **d**. 5. **e**. 3. **3. a**. La Española.
b. Haití y España. **c**. Una tradición del Carnaval.

Cultura/De viaje: **1. a**. Un poeta. **b**. Contra la
ocupación de Estados Unidos. **c**. Óscar de la Renta.
2. b. alcázar. **d**. fortaleza. **g**. catedral. **3. a**. 2. **b**. 3. **c**. 1.
4. a. Punta Cana. **b**. Santo Domingo.

20 Uruguay

Presentación: **1**. **a**. Es de origen guaraní. **b**. Porque su país ocupa la orilla este (oriental) del Río de la Plata. **c**. 17º C. **d**. Argentina, Brasil. **2**. **a**. llanuras, sierras y playas. **b**. la ganadería, el turismo y las finanzas. **c**. un héroe nacional. **d**. un ave. **3**. **a**. Amatista. **b**. Portugal. **4**. Chanás, minuanes, yaros... / italianos y españoles.

Día a día: **1**. **a**. un tipo de sándwich. **b**. mucha carne. **c**. un juego de cartas. **d**. una bebida. **2**. laica, gratuita, obligatoria. **3**. **a**. F. **b**. V. **c**. F. **d**. V. **e**. F. **f**. F. **g**. F. **h**. V. **i**. V.

Fiestas: **1**. Horizontal: Mama Vieja / Vertical: Gramillero, Escobero. **2**. **a**. F. **b**. V. **c**. F. **3**. **a**. En la playa. **b**. año. **c**. todo tipo de música. **d**. Un hombre de campo.

Cultura: **1**. **a**. 3. **b**. 1. **c**. 4. **d**. 6. **e**. 2. **f**. 5. **2**. **a**. F. **b**. F. **c**. F. **d**. V. **e**. V. **f**. F. **g**. V.

De viaje: **1**. Playa: La Paloma, La Mansa, Punta del Diablo. Ciudad: Mercado del Puerto, el Portezuelo, Teatro Solís, La Basílica. **2**. **a**. un centro termal. **b**. Montevideo. **c**. en el noroeste. **3**. **a**. Colonia del Sacramento, Montevideo. **b**. Termas del noroeste uruguayo o la costa uruguaya.

21 Venezuela

Presentación: **1**. **a**. Unos dicen que los indígenas llamaban Venezuela ("agua grande") a una población del lago Mracaibo. Otros dicen que la palabra viene de Américo Vespucio que comparó este país con Venecia. **b**. Maracaibo, Ciudad Bolívar, Valencia... **c**. Lago Maracaibo. **d**. Arroz, yuca, papa, cacao... **e**. Palafitos. **2**. Horizontal: Gas, Cacao, Tabaco / Vertical: Yuca, Diamantes, Bauxita. **3**. **a**. V. **b**. F. **c**. F. **d**. V. **e**. V.

Día a día: **1**. Tachar: inexpresivos, guaraníes, rugby, tristes. **2**. **a**. 7. **b**. 6. **c**. 3. **d**. 4. **e**. 1. **f**. 5. **3**. **a**. la hallaca. **b**. el pabellón criollo. **c**. el pescado y los mariscos. **d**. el ron. **e**. leche, huevos, azúcar y ron. **f**. distracción. **g**. petróleo. **h**. toro. **i**. ganado.

Fiestas: **1**. **a**. 3. **b**. 3. **c**. 1. **d**. 1. **e**. 2. **f**. 3. **g**. 4. **h**. 4. **2**. **a**. F. **b**. V. **c**. F. **d**. V. **e**. F. **3**. **a**. la búsqueda de Jesús perdido. **b**. Choroní y Puerto Colombia. **4**. **a**. me disfrazo, se pone. **b**. se ponen.

Cultura: **1**. **a**. 3. **b**. 5. **c**. 1. **d**. 2. **e**. 4. **2**. **a**. es una película venezola de 1977. **b**. deriva de un dialecto nigeriano. **c**. las vacunas contra la lepra y la leishmaniasis. **3**. **a**. Campus Principal de la Universidad Central de Venezuela. **b**. Presidente de la nación. **c**. El MOMA, en Nueva York y el Centro Georges Pompidou, en París. **d**. El Puma.

De viaje: **1**. **a**. Sí, es en Puerto Cabello. **b**. En efecto, en el Parque Nacional Canaima. **c**. Cierto. En Isla Margarita y en las islas de Coche y Cubagua. **2**. **a**. ríos, selvas y fauna exótica. **b**. cacao, café, algodón. **c**. Puerto Cabello **d**. una playa **e**. tortugas marinas.

22 Andorra

Presentación/Fiestas/De viaje: **1**. **a**. El catalán. **b**. Sus aguas se mantienen a 32º C. **c**. Es mediterráneo de alta montaña, con temperaturas frías en invierno y suaves en verano. **d**. Carne de caza. **2**. **a**. F. **b**. V. **c**. F. **d**. V. **e**. V. **3**. **a**. Grandalla. **b**. Rebeco. **c**. Caldea. **d**. Trucha. **e**. Ordino. **f**. Coprincipado.

23 Belice

Presentación/Fiestas/De viaje: **1**. **a**. Guatemala y Gran Bretaña. **b**. Los descendientes de esclavos africanos. **c**. lenguas mayas, inglés criollo y español. **2**. **a**. madera. **b**. marimba. **c**. tiburones nodriza, ecosistema. **3**. **a**. Maya, kekchí, mopan... **b**. 1797, 1832, 1975, 1981... **c**. Día del Barón Bliss, Sábado Santo, Festival del Coco... **d**. Ciudad de Belice, Dangriga, Orange Walk.

24 Estados Unidos

Presentación/Día a día/Fiestas: **1**. **a**. F. **b**. V. **c**. F. **d**. V. **2**. **a**. EE.UU. **b**. Los Ángeles. **c**. Galavisión. **d**. Bilingüismo. **3**. **a**. junio. **b**. tex-mex. **c**. cubanos.

Cultura/De viaje: **1**. **a**. 3. **b**. 2. **c**. 1. **2**. **a**. Fue la primera mujer hispana miembro del Congreso de FF.UU. **b**. *El Padrino III.* **c**. Shakira, Juanes, Marc Anthony... **d**. El Camino Real es el nombre de la ruta que conectaba todas las misiones de California. **e**. Pinturas, esculturas, fotografías de artistas caribeños y de otros latinoamericanos contemporáneos. **3**. Horizontal: Monasterio, Iglesia, Jardines / Vertical: Franciscanos, Misiones.

25 Filipinas

Presentación/Día a día/Fiestas: **1**. **a**. Luzón, Bisayas y Mindanao. **b**. La procesión del Nazareno Negro. **c**. El peso filipino. **d**. Inglés y filipino (tagalo). **e**. Tres: el verano, *taginit*, de marzo a mayo; la temporada de lluvias y tifones, *tagulan*, de junio a noviembre; la temporada fría, *taglamig*, de diciembre a febrero. **f**. Arroz, maíz, coco, caña de azúcar, tabaco y frutas tropicales. **g**. China, malaya y española. **h**. Porque el país fue colonizado por los españoles y la lengua española siempre ha tenido un papel importante en la cultura del país. **2**. **a**. Horizontal: Sopa de ajo / Vertical: Halo, Pansit.

Créditos de fotos de Internet

1 ARGENTINA: **Pág. 8**: Indígena, *www.encuadro.es*. **Pág. 9**: José de San Martín, *http://puesta-en-valor.blogspot.com*. **Pág. 12**: Carnaval, *www.carnavalhumahuaca.org*; Folclore y rock, *www.rolandogoldman.com.ar*; El campo en la ciudad, *www.expotrade.com.ar*. **Pág. 14**: Astor Piazzola: *www.allaboutjazz.com*; Nueve Reinas, *www.cartelespeliculas.com*; Carlos Gardel, *http://seccion35.blogspot.com*. **Pág. 15**: Mafalda, *http://blog.bettyboop.cat*; Julio Cortázar. *http://fabiansillox.deviantart.com*.

2 BOLIVIA: **Pág. 22**: Virgen de Urkupiña, *www.panoramio.com*. **Pág. 24**: Escultura de hoy, *www.123people.es*; Misiones de Chiquitos, *http://picasaweb.google.com*; Samaipata: *http://glifr.com*. **Pág. 25**: Teatro, *http://mariposarte.blogspot.com* **Pág. 26**: Samaipata: *www.ask.com/wiki/Samaipata*.

3 CHILE: **Pág. 29**: Salvador Allende, www.google.es. **Pág. 30**: Parque Arauco, *www.panoramio.com*. **Pág. 32**: Fiestas patrias, *www.vallegrande.cl*; Fondas santiaguinas, *http://comidachile.blogspot.com*. **Pág. 33**: Festival Viña del Mar, *http://oti-vmar.blogspot.com*; Fiesta de la Tirana, *http://diariodecuatroaseis.cl*. **Pág. 34**: Pablo Neruda: *http://www.luiseaguilera.cl*; Veinte poemas de amor y una canción desesperada: *http://librossargantana.wordpress.com*; Los tres: *http://livinsantiago.wordpress.com*, La Nueva Canción Chilena, *www.songbird.cl*; **Pág. 35**: Isabel Allende, *http://cineatralia.com*. **Pág. 36**: Las casas de Neruda: *http://www.panoramio.com*.

4 COLOMBIA: **Pág. 40**: Ajiaco, *http://colombia.pordescubrir.com*; Nombres de marcas, *www.radiosantafe.com*; Tejo, *http://daraparker.com*; **Pág. 41**: chocolate santafereño, *http://1.bp.blogspot.com*. **Pág. 42**: Semana Santa, *www.santacruzdemompos-bolivar.gov.co*. **Pág.43**: Feria de Cali, *http://es.wikipedia.org/wiki/Feria_de_Cali*; Amor y amistad, *www.liceoingles.edu.co2.2.jpg.php*. **Pág. 44**: El querido Gabo, *http://es.wikipedia.org*; Manuel Elkin Patarroyo, *http://ipsnoticias.net*; Cine, *http://www.plataformaarquitectura.cl*. **Pág. 45**: El sonido de la cumbia, *http://barrancas-laguajira.gov.co*;

5 COSTA RICA: **Pág. 48**: Nos tratamos con respeto, *www.fpractica.com*. **Pág. 49**: Día de la Independencia, *http://en.wikipedia.org/wiki/Baile_Folklorico*. **Pág. 50**: Calipso, *www.rccachicago.org*; Esferas misteriosas, *http://es.wikipedia.org/wiki/Esferas_de_piedra_de_Costa_Rica* Museos, *http://nicolegoestocostarica.blogspot.com*. **Pág. 51**: Isla del Coco, *www.panoramio.com*.

6 CUBA: **Pág. 52**: Un hombre que ha marcado la historia de Cuba, *www.rnw.nl/espanol*. **Pág. 55**: Algunos platos muy cubanos, *http://picasaweb.google.com*. **Pág. 56**: Fiesta del fuego, *http://rossydiaz.wordpress.com*. **Pág. 57**: Los bembé: sincretismo y santería, *http://ifaoyu.com*. **Pág. 58**: Gente bailando, *http://desinformemonos.org*, El Ballet Nacional de Cuba, *http://lunarft.wordpress.com*; Buena Vista Social Club, *http://omaraportuondo.com*. Luz, cámara... ¡acción!, *http://bibliotecnica.upc.es*. **Pág. 59**: Casa de la trova, *www.panoramio.com*

7 ECUADOR: **Pág. 62**: Los cofanes: *http://ricardmunoz.wordpress.com*. **Pág. 64**: El yaguarlocro, *http://unpoquitoquito.wordpress.com*, La fanesca, *http://www.nosoloviajeros.com*. **Pág. 66**: Navidad y Año Nuevo, *http://bacontoday.com*; Quema del año viejo, *http://andes.info.ec*. **Pág. 67**: La Mama Negra, *www.mamanegra.com*; Otavalo: Inti Raymi y la fiesta del Yamor, *http://otavalodevp.blogspot.com*. **Pág. 68**: Tierra de grandes pintores, *http://fr.fotopedia.com*; Jefferson Pérez, *http://commons.wikimedia.org*. **Pág. 69**: El Ecuovoley, *http://tuecuavoley.com*

8 EL SALVADOR: **Pág. 72**: Indígenas y españoles, *http://lideresolidarios.blogspot.com*; Óscar Romero: *http://fr.wikipedia.org/wiki*. **Pág. 73**: Laguna de la Alegría, *www.panoramio.com*. **Pág. 74**: Ritmos de El Salvador, *http://temasantropologicosyarqueologicos.bligoo.es*, *www.stratfordsummermusic.ca*; Escritores de hoy, *http://jrobertomartinez.wordpress.com*; Para los aficionados al surf, *www.panoramio.com*. **Pág. 75**: Lago Coatepeque, *www.panoramio.com*; Tazumal, *http://212.4.98.171:8181/en-US/Centroamerica*.

9 ESPAÑA; **Pág. 76**: La monarquía parlamentaria, *www.noticiacero.com*. **Pág. 77**: Universidad de Salamanca, *http://es.wikipedia.org/wiki/*. **Pág. 78**: Una vida muy activa, *http://treserantres.wordpress.com*, *http://permulfuenlabrada.blogspot.com*; ¿Cuántos años tienes?, *http://delokos.org* **Pág. 81**: Doce uvas en Nochevieja, *www.absolutmadrid.com*. **Pág. 83**: Pintura, *http://almez.pntic.mec.es*.

10 GUATEMALA: **Pág. 88**: Miguel Ángel Asturias, *www.heraldo.es*; Augusto Monterroso, *http://cuentoscompletosvarios.blogspot.com/*; Popol Vuh, *http://compartiendoculturas.blogspot.com*; Rigoberta Menchú, *www.heraldo.es*.

11 GUINEA ECUATORIAL: **Pág. 90**: Corisco, *www.panoramio.com*. **Pág. 91**: La gente, *http://expressnightout.com*; Una tradición curiosa, *www.esacademic.com*. **Pág. 92**: Literatura, *www.oglethorpeblog.com*. **Pág. 93**: Las alturas de Guinea, *www.panoramio.com*; Cataratas de Mossumo, *www.panoramio.com*.

12 HONDURAS: **Pág. 94**: Vestimenta, *http://folclorehonduras.webs.com*; Tegucigalpa, *www.panoramio.com* **Pág. 95**: ¿Qué comemos?, *http://rachelgit.wordpress.com*, Bailes, *http://esfhonduras.blogspot.com*. **Pág. 96**: Todos pintan, *http://pintoresdehonduras.com*. **Pág. 97**: Ciudades para visitar, *www.panoramio.com*, Literatura, *http://poetasdelgradocero.blogspot.com*.

13 MÉXICO: **Pág. 101**: Bailes, *http://huaracheblog.wordpress.com*. **Pág. 102**: Día de la Virgen de Guadalupe, *http://lh6.ggpht.com*. **Pág. 103**: La "fiesta brava", *http://imageshack.us*, Tradicionales posadas, *http://modlang.ou.edu*. **Pág. 104**: Arte y revolución, *http://www.ua.ac.be/main.aspx?c=*CMSESP&n=61751*; Música que enamora, *http://jazzlosophy.blogspot.com*. **Pág. 105**: Pop y rock mexicano, *http://ciudadania-express.com*; Literatura, *http://my.opera.com*.

14 NICARAGUA: **Pág. 108**: Los Somoza, *http://infosurhoy.com*. **Pág. 109**: Sabor, aromas y color, *http://westnordost.de*; Sandino, *www.panoramio.com*; Cómo visten, *http://tecnonicaragua.es*.; **Pág. 110**: Rubén Darío, *http://impreso.elnuevodiario.com*; Sueño de Solentiname, *http://arturovasquez.wordpress.com*; Danzas tradicionales, *http://nicaraguatriunfa.wordpress.com* y *http://bailesymusicadenicaragua.net*.

15 PANAMÁ: **Pág. 113**: Dos platos panameños típicos, *http://barichareando.blogspot.com*; Boxeo, *http://deportes.orange.es*; **Pág. 114**: Danzas populares, *http://carodanzas.blogspot.com*; Música, *http://infosurhoy.com*

16 PARAGUAY: **Pág. 116**: Asunción, *http://es.wikipedia.org/wiki/Archivo*. **Pág. 117**: Algo de historia, *www.quintadominica.com*, **Pág. 118**: Trajes típicos, *http://objetivomalaga.diariosur.es*, **Pág. 120**: ¡A jugar!, *http://alparaguay.blogspot.com*; Ritual de agosto, *http://alparaguay.blogspot.com* **Pág. 121**: Llegan los Reyes, *www.panoramio.com*. **Pág. 122**: Música paraguaya, *http://cocinandoporamericalatina.blogspot.com*; Arte original: el vídeo, *http://www.evp.edu.py*. **Pág. 123**: Los nuevos:, *http://www.prisaediciones.com*, Luz y color, *http://ereview.org*;

17 PERÚ: **Pág. 128**: Comer al paso, *http://www.lookfordiagnosis.com*; Bebidas, *www.esacademic.com*. **Pág. 129**: Deportes, *http://periodicoelhalcon.blogspot.com*. **Pág. 130**: Procesión, *http://diariocorreo.pe/*; Intiy Raymil, *http://www.justomedio.com*; La quitañaca, *http://hijosde-santa-ana.blogspot.com*. **Pág. 131**: Día de la Independencia, *http://colombia.indymedia.org*. **Pág. 132**: La flor de la canela, *http://deskatalogadosymas.blogspot.com*; Escritores, *http://www.elhablador.com*, *http://people.cornellcollege.edu*, Música fusión, *http://blogs.houstonpress.com*. **Pág. 133**: Gustave Eiffel, *www.panoramio.com*; Museos, *http://islaazul.blogspot.com*. **Pág. 135**: Amazonas, *http://picasaweb.google.com*.

18 PUERTO RICO: **Pág. 136**: Algunos platos puertorriqueños, *http://foro.univision.com*. **Pág. 137**: Fiestas de Loiza Aldea, *http://depuertoricopalmundo.blogspot.com* **Pág. 138**: Pintores de renombre, *http://coapr.org*; Literatura, *http://mariajuliana.com*.

19 REPÚBLICA DOMINICANA: **Pág. 140**: Una isla, dos naciones, *www.skyscraperlife.com*. **Pág. 141**: Algunas danzas dominicanas, *http://clubshrinedominicano.blogspot.com*; Febrero, mes de fiestas, *www.turismopuntacana.com.ar*. **Pág. 142**: Literatura, *http://elmusicom.com*; Celeste Wons y Gil, *http://projects.ups.edu*; **Pág. 143**: Una capital colonial, *http://nosinmicamara.blogspot.com*: El paraíso de Cristóbal Colón, *www.estaplace.es* y *http://picasaweb.google.com*.

20 URUGUAY: **Pág. 144**: Economía, *www.panoramio.com* y *http://pulsodelmundo.com*. **Pág. 145**: José Gervasio de Artigas, *http://arindabo.blogspot.com*. **Pág. 146**: El termo y el mate, *www.taringa.net*, Un juego del Río de la Plata, *http://www.panoramio.com*; El bocadillo uruguayo por excelencia, *http://locosporlosalmuerzos.blogspot.com*. **Pág. 147**: Uruguayos fuera de Uruguay, *http://arindabo.blogspot.com*; Educación, *http://fariellosolar.blogspot.com*. **Pág. 149**: 2 de febrero: Lemanjá, *http://paearieldeoxala.com*, Fiesta de la X, *http://hablemosderock.wordpress.com*. **Pág. 150**: Carlos Páez Vilaró, *www.taringa.net*; El varón del tango, *http://mordisquitolaplata.blogspot.com*. **Pág. 151**: Mario Benedetti, *http://www.heraldo.es*; Eduardo Galeano, *http://es.wikipedia.org*. **Pág. 152**: Por la costa uruguaya, *www.arteyfotografia.com.ar* y *http://latinamericando.wordpress.com/*. **Pág. 153**: Descanso en las termas, *http://metagini.com*.

21 VENEZUELA: **Pág. 155**: Siglo XX, *http://www.heraldo.es* y *www.askapena.org*. **Pág. 156**: La gente, *www.terrario.org.ve/*; Las telenovelas, una pasión, *http://donabarbara4forum.forumhope.com/*; Hombre de campo, *www.panoramio.com*. **Pág. 157**: Comer, *http://es.wikipedia.org*.; Deportes, *www.aguazul-casanare.gov.co*. **Pág. 158**: San Antonio de Padua, *http://galeon.hispavista.com*.; Ritual de pájaros, wiki/ y *http://mopier.wordpress.com*; San Juan, fiesta mágica, *http://www.gdc.gob.ve*. **Pág. 159**: La Cruz de Mayo, *www.panoramio.com*. Hacia el final del año, *www.vtv.gov.ve* www.panoramio.com. **Pág. 160**: Música venezolana, *http://olivia2010kroth.wordpress.com*; Arquitectura, *http://de.academic.ru*; Ciencia premiada, *www.diariolacalle.net*. **Pág. 161**: Museos, *http://es.wikipedia.org*, *http://en.wikipedia.org*. **Pág. 163**: Puerto Cabello, *www.skyscrapercity.com*.

22 ESTADOS UNIDOS: **Pág. 170**: Primera mujer hispana elegida miembro del Congreso de EE.UU., *www.minuto30.com*.

CUBIERTA: Playa cubana, Graça Victoria / *Shutterstock.com*; Músico cubano, Kamira / *Shutterstock.com*; Tango, Dale Mitchell / *Shutterstock.com*; Baile mexicano, Christian Araujo / *Shutterstock.com*.